IL Y A
BEAUCOUP PLUS
À PROPOS DU
SECRET

C.P. 325, Succursale Rosemont,
Montréal (Québec) CANADA   H1X 3B8

Téléphone: 514 522-2244
Internet: www.edimag.com
Courrier électronique: info@edimag.com

Correction: Paul Lafrance, Pascale Matuszek

Dépôt légal: quatrième trimestre 2007
Bibliothèque et Archives nationales du Québec
Bibliothèque nationale du Canada

© 2007, Édimag inc., pour l'édition en langue française pour le Canada.
Tous droits réservés pour tous pays.
ISBN: 978-2-89542-258-7

Québec ⠿   Canada

L'éditeur bénéficie du soutien de la Société de développement des entreprises
culturelles du Québec pour son programme d'édition.

Nous reconnaissons l'aide financière du gouvernement du Canada par l'entremise du Programme d'aide au développement de l'Industrie de l'édition
(PADIÉ) pour nos activités d'édition.

Ed Gungor

IL Y A
BEAUCOUP PLUS
À PROPOS DU
SECRET

Traduit de l'américain par
Étienne Marquis

ÉDIMAG
PRÈS DU PUBLIC

Édimag inc. est membre de l'Association nationale des éditeurs de livres (ANEL)

NE JETEZ JAMAIS UN LIVRE

La vie d'un livre commence à partir du moment où un arbre prend racine. Si vous ne désirez plus conserver ce livre, donnez-le. Il pourra ainsi prendre racine chez un autre lecteur.

DISTRIBUTEUR EXCLUSIF

Pour le Canada
LES MESSAGERIES ADP
2315, rue de la Province
Longueuil (Québec)
CANADA   J4G 1G4
Téléphone: 450 640-1234
Télécopieur: 450 674-6237

Dédié au Dr Bahri et à Lilly Gungor,
ainsi qu'à Gerard et Elizabeth Griesbaum.

Merci d'avoir toujours aimé,
soutenu et cru en vos enfants.

Table des matières

Introduction

IL Y A BEAUCOUP PLUS À PROPOS DU SECRET...

Ces derniers temps, «le Secret» se retrouve sur toutes les lèvres. Cette connaissance a pourtant été, à toutes les époques de l'Histoire, découverte et redécouverte.

Dans l'ouvrage *Le Secret*, Rhonda Byrne et ses collaborateurs ont accompli un travail colossal afin de réunir tous les fragments de cette grande loi, qui s'est incrustée dans les traditions orales, la littérature, les religions et la philosophie à travers les âges. Ils nous ont donné un aperçu du pouvoir que cette vérité ancienne peut exercer sur nos vies. Car comprendre la loi qui se cache derrière le Secret change tout.

Toutefois, malgré les révélations de ce récent best-seller, il y a plus encore à dire à ce sujet. En fait, sans cette incursion plus en profondeur que je vous propose, j'ai bien peur que les déceptions seraient plus importantes dans la vie des gens que les bénéfices qu'ils pourraient retirer du Secret.

C'est le pourquoi de cet ouvrage. Bien que je n'aie aucune intention de démolir tout ce qui a été dit jusqu'à maintenant, il est important de procéder avec prudence. Il y a plus encore à dire à propos de cette histoire, il y a plus encore à propos du Secret.

– Ed Gungor

1

DIEUX ET GÉNIES

D'accord. Avant de commencer, je dois vous faire une confidence. Je suis un apprenti de Jésus-Christ et, même si j'admire la façon dont Rhonda Byrne et son équipe ont traité de la loi de l'attraction, je demeure critique. Je suis très excité de ce que l'auteure a communiqué dans son best-seller *Le Secret*, publié en 2006. En même temps, je ne chemine pas dans la philosophie mise de l'avant dans ce livre. Par exemple, je ne crois pas que les humains évoluent pour devenir des dieux; nous aurons toujours besoin de Dieu. Je ne crois pas non plus que l'humanité a le pouvoir de sa propre rédemption; nous avons besoin d'un Sauveur. Je crois que Jésus-Christ connaissait ce fameux secret, pourtant, il a quand même dû mourir — le concept du secret ne suffit donc pas pour nous sauver.

J'ai aussi l'impression que Rhonda Byrne et compagnie ont consacré trop d'espace à l'avidité matérielle, à l'apathie sociale et au fait de rendre les victimes coupables des événements tragiques qui se produisent dans leur vie. (Je ne suis pas en train de dire que c'était là leur intention, mais ça reste un problème.) Toutefois, cela ne signifie pas que je rejette tout en bloc dans le livre, car il y a beaucoup de bon dedans. En fait, je veux justement que mes écrits élaborent encore davantage au sujet du trésor que ce livre a exploré. C'est le cœur de mon propos, et les problèmes seront plutôt abordés au fur et à mesure qu'ils se présenteront.

QU'EST-CE QUE C'EST?

Nous n'avons qu'une vie à vivre. Conséquemment, je crois que nous devrions garder les yeux grands ouverts sur ce qui se passe autour de nous. Cela touche chaque aspect de nos vies, des finances à la santé, en passant par nos relations avec les autres. Lorsqu'on comprend cela, on touche à ce pouvoir inexploité caché à l'intérieur de chacun de nous, païens ou saints.

Il ne s'agit pas d'une idée complexe et difficile à saisir. C'est simplement la loi de l'attraction. Cette loi se résume à ceci: «Tout ce qui se produit dans votre vie est le résultat de ce que vous avez attiré dans votre vie.» Votre vie n'est pas ce qu'elle est par pur accident; c'est une suite de causes et d'effets. En un sens, votre façon de vivre constitue un aimant attirant les événements qui se produisent dans votre vie, les bons comme les mauvais.

Quoique cela puisse paraître effrayant au premier abord — «tout est de ma faute?» —, il s'agit tout de même d'une belle révélation. Cela veut dire que vous et moi avons beaucoup à voir dans le fait que notre vie est plus ou moins heureuse. Lorsque nous apprenons le fonctionnement de la loi de l'attraction, nous pouvons la travailler de façon à conserver ce que nous aimons et à refuser l'accès à toutes les mauvaises choses.

Mais est-ce réellement possible? Bien des gens estiment que tout ce qui doit se produire va se produire. C'est la notion de destin. Ces gens croient que les humains n'ont aucune influence sur l'avenir; ils y voient une chasse gardée de Dieu. Les choses arrivent, tout simplement parce que Dieu en a décidé ainsi. Les humains n'engendrent aucune conséquence si elle n'a pas d'abord été décidée par Dieu. Chez ces gens, les pensées, les croyances et les actions n'ont donc aucune importance puisque Dieu fera ce qu'il veut, peu importe ce qu'en pensent les humains.

Or, si Dieu avait vraiment voulu créer un monde où les humains ne pourraient pas contrôler les choses, pourquoi l'aurait-il régi avec plein de lois, des lois si spécifiques et prévisibles qu'on peut envoyer une personne sur la Lune et prévoir à la fraction de seconde près le moment où elle se posera sur l'astre? Ces lois ne seraient-elles pas une preuve que Dieu a voulu que nous ayons plus de contrôle sur nos vies? L'apôtre Paul a dit: «Tout est à vous, soit [...] le monde, soit la vie, soit la mort, soit les choses présentes, soit les choses à venir.»[1] Ailleurs, il écrit: «Ne vous y trompez pas: on ne se moque pas de Dieu. Ce qu'un homme aura semé, il le moissonnera aussi.»[2]

Ces extraits suggèrent que notre participation dans ce monde créé par Dieu ressemble au travail d'un fermier soumis aux lois de la nature. Un fermier qui souhaite récolter du maïs doit apprendre à coopérer avec la nature pour l'obtenir. La nature ne sélectionne pas les moissons; il revient au fermier de le faire. C'est lui qui prévoit l'avenir de son champ à partir des différentes graines qui peuvent y germer. Pour «attirer» le maïs, le fermier n'a qu'à semer des grains de maïs. C'est ainsi que fonctionne la loi de l'attraction.

La Création fonctionne de la même façon pour vous et moi. Dieu ne détermine pas de lui-même à quel point nos vies seront formidables. Jusqu'à un certain point, nous contrôlons le succès de notre mariage, de nos finances, de notre carrière, de nos habiletés comme parent, etc., à partir de notre degré de coopération avec les lois divines. Nous pouvons être délibérément heureux ou malheureux. Nous pouvons attirer tout ce que nous voulons. En vérité, c'est ce que nous sommes en train de faire, maintenant. Apprendre comment cette loi fonctionne n'est pas ce qui la fait fonctionner — ça marche tout le temps —, mais ça aide si on veut s'en servir à son avantage plutôt qu'à ses dépens.

La troisième loi de Newton, le principe des réactions réciproques, stipule ceci: «Pour toute action, il y a une réaction équivalente et opposée.» C'est une autre façon d'exprimer la loi de l'attraction. Jésus-Christ nous a montré comment la loi de l'attraction, aussi appelée «le Secret», fonctionne dans nos relations avec les autres: «Ne jugez point, et vous ne serez point jugés; ne condamnez point, et vous ne serez point condamnés; absolvez, et vous serez absous. Donnez, et il vous sera donné. On versera dans votre sein une bonne mesure, serrée, secouée et qui déborde. On vous mesurera avec la mesure dont vous vous serez servis.»[3]

Cela signifie que si vous souriez, on vous sourira aussi. Si vous êtes mesquin, il y a des chances qu'on le soit aussi à votre endroit. Si vous vous montrez sincère et aimable, vous êtes à peu près certain que les gens se montreront gentils à votre égard. Si vous critiquez tout et tout le monde, vous pouvez vous attendre à recevoir une lourde charge de jugements critiques à votre tour. Vous attirez ce que vous dévoilez aux autres. La loi de l'attraction fonctionne pour tout le monde, partout et tout le temps, peu importe qu'on la comprenne ou non.

Les croyants sont souvent partagés entre les actions humaines et celles qui relèvent de Dieu. Par exemple, prenez cette histoire d'un grand propriétaire foncier qui reçoit la visite de son pasteur. Le propriétaire accompagne l'homme d'Église dans sa visite des lieux, avec ses bâtiments bien entretenus, ses clôtures et ses pelouses quasi parfaites. Le pasteur déclare: «Eh bien, Dieu a vraiment béni cette propriété!»

Le propriétaire réplique alors, sans détour: «Je suppose que vous avez raison. Mais vous auriez dû voir ça quand tout n'appartenait qu'à lui seul.»

S'ils ne font pas attention, certains croyants seront coupables d'une chose dont Jésus-Christ nous avait avertis. Dans sa parabole des talents (Matthieu 25:14-29), il encourage les gens à travailler à partir du potentiel que Dieu leur a donné. Il ajoute que certains sont à ce point obnubilés par la souveraineté de Dieu qu'ils ne font rien, somme toute, et se résignent à subir leur destin. Autrement dit, ils empruntent les mots de Doris Day, qui chantait: «*Que será será* / Demain n'est jamais certain / Laissons l'avenir venir...» Jésus a dit que ces gens croient que Dieu, tel le maître de sa propre histoire, récolte ce qu'il n'a pas semé et cueille là où il n'a pas fait pousser de fruits. Pour Jésus, ces personnes enterrent leur potentiel dans la terre (v. 25) — et Dieu n'est pas heureux de constater cela.

Toutefois, les deux côtés de la médaille présentent des dangers.

Les tenants de la loi de l'attraction telle qu'elle a été remise au goût du jour soutiennent que celle-ci peut nous donner tout ce que nous désirons — bonheur, santé et richesse —, qu'elle peut nous faire faire ou nous faire devenir tout ce que nous voulons et qu'elle peut nous permettre de posséder n'importe quoi. On nous demande: «Dans quelle maison voulez-vous vivre? Voulez-vous devenir millionnaire?» On nous dit: «Les miracles se produisent lorsque vous savez comment appliquer le Secret.» Le poète américain Ralph Waldo Emerson (1803-1882) a un jour écrit: «Le secret est la réponse à tout ce qui a été, à tout ce qui est et à tout ce qui sera.» Citant Emerson, les adeptes de ces croyances affirment que le grand secret de la vie se résume à ceci: chacun de nous a accès à un pouvoir infini, la loi de l'attraction.

Ils en oublient un élément très important: il se trouve qu'il y a plus encore à propos du Secret...

NOUS PARTAGEONS LE POUVOIR

Lorsque les premiers ordinateurs personnels ont fait leur apparition dans les années 1980, installer de nouveaux programmes ou des périphériques (comme des imprimantes ou des scanneurs) n'avait rien d'une sinécure. Ce n'était alors pas inhabituel de voir l'appareil cesser de fonctionner après qu'on y avait ajouté un programme qui devait nous rendre la vie plus facile. Dès lors, il fallait passer des heures au téléphone en compagnie d'un technicien qui tentait de guider l'utilisateur dans le processus ardu consistant à réécrire des lignes cachées d'un programme essentiel (comme le fameux CONFIG.SYS). Quel fouillis!

L'une des raisons qui expliquent l'apparition de ce genre de problème, c'est que les programmeurs concevaient leurs logiciels sur des ordinateurs qui n'en contenaient pas d'autres. Par conséquent, ils pouvaient concentrer les ressources de leur ordinateur dans l'exécution du programme qu'ils étaient en train de mettre au point. Ce n'était pas une mauvaise idée... si tous les ordinateurs avaient été conçus pour faire fonctionner un seul programme. Bien sûr, ce n'est pas le cas. Ça n'a toutefois pas arrêté les ingénieurs, qui ont continué de modifier les données internes de leurs ordinateurs afin de faire fonctionner leurs programmes le plus efficacement possible. En travaillant ainsi en vase clos, toutes les compagnies évoluant dans ce marché jouaient perdant. Les consommateurs installaient toujours de nouveaux programmes sur leur ordinateur, les applications entraient chaque fois en conflit l'une avec l'autre, se battant pour accaparer les ressources limitées de la machine, et les systèmes finissaient par déclarer forfait. (J'aurais aimé qu'on me donne un dollar pour chaque heure passée avec des représentants du soutien technique afin de régler ce genre de conflits!) Nous avons fait du chemin depuis cette époque.

Rhonda Byrne et ses collaborateurs ont certes décortiqué le Secret, mais je ne peux m'empêcher de croire qu'ils ont fait une erreur similaire à celle de ces programmeurs. Ils ont en effet mis l'accent sur le pouvoir individuel de toute personne qui utiliserait la loi de l'attraction. Le problème, c'est qu'il n'y a justement pas qu'une seule personne qui utilise cette loi: il y a plus d'un programme qui fonctionne dans cet univers. Nous n'utilisons pas la loi de l'attraction en vase clos: il y a d'autres joueurs, d'autres forces en action.

Par exemple, dans le livre de Rhonda Byrne, on prétend que nous attirons absolument tout ce qui nous arrive, les bonnes choses comme les mauvaises, comme les accidents de voiture. Ça peut être vrai dans certains cas, mais c'est une simplification outrancière de la réalité. Prenez l'Holocauste. Est-ce plausible que six millions de Juifs aient attiré cette inimaginable horreur? N'y avait-il pas d'autres forces en jeu, comme ce pouvoir illimité reposant entre les mains d'un dictateur fou nommé Hitler? Qu'en est-il des enfants maltraités? Les victimes ont-elles «imaginé» ces mauvais traitements, les ont-elles «attirés» vers elles? Si ce n'est pas le cas, alors pourquoi ça leur est quand même arrivé? La loi de l'attraction, qui «fonctionne pour toute personne, en tout temps et en tout lieu», ne s'appliquerait pas à ces personnes? Ne serait-ce pas plutôt qu'il y a d'autres forces en jeu, un criminel malade par exemple?

Et Dieu dans tout cela? Les tenants de la version moderne de la loi de l'attraction restent très silencieux à ce sujet. C'est curieux tout de même, car la plupart des gens croient en Dieu. Dans leur présentation du Secret, Byrne et son groupe semblent s'en tenir à la notion voulant que, si Dieu a créé ce qui est, il n'est certainement plus présent — du moins, pas de façon significative. Il n'y a pas de «Plan». Et si Dieu existe, il ou elle demeure intangible et garde apparemment ses distances, les affaires de ce bas monde ne l'atteignant pas. Rhonda Byrne suggère plutôt que l'univers est une sorte de génie, qui existe purement afin de réaliser tous nos souhaits. Ce génie réalise les souhaits, les bons comme les mauvais, à tout moment. Comprendre cette idée est, selon elle et ses collaborateurs, la clé qui nous permet de faire en sorte que l'univers acquiesce seulement à nos bons vœux.

C'EST L'HISTOIRE DE DIEU

Dans la tradition chrétienne, il n'y a pas de génies. Créée à l'image de Dieu, chaque personne est le résultat du destin, un être planifié et réfléchi que Dieu a placé dans ce monde dans un but précis. Pour chacun de nous, les Écritures affirment que Dieu a «déterminé la durée des temps et les bornes de leur demeure»[4]. Les psaumes traduisent cette pensée: «Quand je n'étais qu'une masse informe, tes yeux me voyaient; Et sur ton livre étaient tous inscrits Les jours qui m'étaient destinés, Avant qu'aucun d'eux existât.»[5]

Cela signifie que chacun de nous a une importance et que la raison de notre présence dans ce monde est inscrite dans un processus réglé au quart de tour par Dieu lui-même. Pour les croyants, la terre n'est pas un lieu où survivent les meilleurs mais un monde où tout ce qui se produit est prédestiné. Mais plutôt que de considérer ce plan divin, plusieurs pensent qu'ils sont maîtres de leur propre histoire. Contrairement à ce que Rhonda Byrne nous a enseigné, le Secret s'est incrusté dans l'humanité non pas à travers des humains qui évoluaient dans leur propre histoire mais plutôt à travers des humains cherchant leur place dans une histoire racontée par quelqu'un d'autre: Dieu. Dans cette interprétation du dessein totalement délibéré de Dieu, il y a une place pour tout et tous. La loi de l'attraction n'y est pas utilisée pour attirer quoi que ce soit mais bien pour expliquer le plan de Dieu. Cela révèle que chacun de nous est né dans le monde de Dieu; nous ne sommes que des participants à son théâtre. Selon les psaumes: «Sachez que l'Éternel est Dieu! C'est lui qui nous a faits, et nous lui appartenons; Nous sommes son peuple, et le troupeau de son pâturage.»[6]

Mon épouse, Gail, et moi avons récemment assisté à une pièce mettant en vedette notre magnifique belle-fille, Erin. Elle y tenait l'un des principaux rôles. Après le spectacle, nous lui avons réservé un chaleureux accueil et nous lui avons demandé comment elle jugeait sa performance. Elle nous a principalement dit comment elle croyait s'en être tirée avec son personnage. Elle ne s'est pas plainte des autres acteurs, elle n'a pas souhaité reprendre leurs répliques, elle n'a pas voulu qu'on remplace un membre de la distribution et elle n'a jamais fait allusion à la possibilité qu'elle puisse réécrire le texte ou diriger la pièce autrement. Elle mesurait seulement son succès à partir de son habileté à remplir le travail qui lui avait été assigné.

Voilà comment nous devrions aborder le théâtre de la vie. C'est là l'élément central de la notion de loi de l'attraction, et la véritable raison pour laquelle Dieu l'a créée. Nous devrions refuser d'essayer d'écrire, de produire, de diriger ou de choisir le rôle que nous voulons jouer dans notre propre spectacle. Nous devons voir Dieu comme l'Auteur, le Producteur et le Directeur de cette pièce. Notre ambition devrait être de découvrir ce que Dieu y a destiné pour nous, puis de jouer de la manière la plus ouverte possible.

Cependant, saisir que nous sommes ici pour apporter notre contribution à quelque chose de plus grand que nous-mêmes nous procure un tremplin vers une vie transcendante — un accès à une existence plus grande qu'une seule de nos propres embarcations, plus ouverte que les désirs immédiats de personnes égoïstes, avec leurs besoins en constante expansion. Cela nous aiguille vers quelque chose de génial, de plus grand, d'éternel.

Dans un monde de requins, dans un univers où règne le chacun pour soi, où rien n'est plus important que le fait d'être numéro un, partir en quête du message divin est considéré comme étant hors de propos, car c'est une connexion à quelque chose d'autre que soi-même. Mais cette découverte donne une valeur nouvelle à la personne; cela fait fructifier nos compétences personnelles de façon à en faire profiter un plus grand nombre. Cela ne nous enlève rien; au contraire, ça nous mène à Dieu. Et notre identité est enrichie d'une telle union avec la Vie, plus grande que nous-mêmes.

Voilà comment nous participons à ce qu'on appelle le royaume de Dieu. Nous prévoyons que Dieu agira; nous attendons que Dieu agisse. Nous ne savons pas quand et où il le fera, mais nous écoutons et nous continuons à marcher dans la loi de l'attraction, tel un témoignage de notre amour pour Dieu et de notre quête du divin. Une vie dédiée à cette recherche constante nous emplit graduellement d'un esprit d'espérance à l'effet que toutes bonnes choses seront accordées à un cœur dévoué: nous mangerons «la graisse du pays»[7]. Jésus a dit: «Celui qui conservera sa vie la perdra, et celui qui perdra sa vie à cause de moi la retrouvera.»[8]

Un engagement divin procure le sentiment profond que nous avons une signification, une vocation. Nous devenons les heureux participants d'un projet de création qui inspire le dévouement et la détermination. C'est cette farouche individualisation qui nous a laissés, tel que l'a si bien présenté l'historien britannique Arnold Toynbee, avec «l'impression d'avoir tout ce dont nous avons besoin tout en conservant un sentiment d'aliénation»[9].

Qui est l'initiateur dans la vie, Dieu ou l'homme? Bien des chrétiens modernes ont adopté ce point de vue des motivateurs: nous avons des rêves et, dès lors, nous sommes capables de faire tout ce que nous voulons. Nous espérons que Dieu bénira ces rêves, qu'il les rendra nobles. Oui, la loi de l'attraction fonctionne, et nous pouvons espérer de grandes récoltes quand nous semons avec entrain. Toutefois, la Bible nous lance aussi un avertissement à cet égard. Nous ne devons pas céder à nos impulsions, parce que notre vie est «une vapeur qui paraît pendant quelque temps, et qui ensuite disparaît»[10]. Nous sommes ici pour si peu de temps que nous ne saurions cultiver la sagesse nécessaire afin de prendre de réelles décisions par nous-mêmes. «Vous devriez dire, au contraire: Si Dieu le veut, nous vivrons, et nous ferons ceci ou cela.»[11] Cela signifie que vous et moi pouvons jouer un rôle significatif — et espérer connaître beaucoup de succès —, mais nous ne pouvons écrire notre propre pièce. Nous faisons partie de l'histoire de Dieu; il a un droit de veto!

Bien des croyants croient qu'il suffit d'ajouter un peu de foi à leurs rêves pour recevoir de Dieu ce petit coup de chance dont ils ont besoin pour acquérir la célébrité, le pouvoir et la richesse qu'ils souhaitent. C'est vrai que les Écritures enseignent que «tout est possible à celui qui croit»[12], mais si nous n'y prenons pas garde, nous risquons de faire de Dieu notre propre serviteur. Nos désirs deviennent alors rapidement le centre de l'univers.

Il serait dangereux de penser à Dieu comme s'il s'agissait d'un génie. Nous devons laisser Dieu être ce qu'il est et comprendre que les génies n'existent que dans les contes de fées.

2

LES PENSÉES
SE MATÉRIALISENT

Dans *Le Secret*, Rhonda Byrne soutient que tout ce qui se produit dans votre vie y est attiré par la loi de l'attraction. Plus encore, les choses sont attirées vers vous par les images que vous gardez dans votre esprit. Cela voudrait dire que ce à quoi vous pensez et méditez a vraiment de l'importance. Si c'est vrai, vous devriez prendre note de vos pensées, puisque tout ce qui traverse votre esprit a été attiré vers vous.

Y a-t-il des preuves de cela dans les Écritures?

La réponse est un retentissant: «OUI!» Comme le dit un proverbe hébreu: «Car il est comme les pensées de son âme.»[1] Cela signifie que vous devenez ce à quoi vous pensez le plus. C'est comme si vos pensées étaient un aimant, drainant dans votre vie toute chose à laquelle vous pensez. Autrement dit, «si vous voyez cela dans votre tête, vous pourrez le tenir dans vos mains»[2]. Et plus votre esprit sera clair à propos des choses que vous voulez, plus celles-ci s'achemineront rapidement vers vous. Cette idée se résume à quatre petits mots: les pensées se matérialisent[3].

Les pensées renferment un pouvoir créatif intrinsèque. Le premier événement créatif à avoir eu lieu est répertorié dans le livre de la Genèse: Dieu créa l'univers par un ordre, avec ses mots. Les mots sont tout simplement l'expression de pensées. L'univers existe parce que Dieu y a pensé. Nous sommes ici parce que Dieu a pensé à nous. Parce que nous sommes les seules créatures dans le monde créées à l'image de Dieu, nous pouvons aussi avoir des pensées créatrices, nous pouvons aussi participer à des événements créateurs, nous pouvons jouir du fruit de la loi de l'attraction.

Artistes, architectes, musiciens, artisans, entrepreneurs, amis, amants, bouchers, boulangers et fabricants de chandeliers, nous pouvons tous créer parce que nous pensons. Bien entendu, nous ne sommes pas capables de fabriquer un système solaire de toutes pièces ou de créer des choses à partir de rien, mais nous tenons nos capacités créatrices du Créateur lui-même. Et tout le processus prend racine dans le domaine des pensées.

C'est pourquoi les luttes spirituelles sont omniprésentes dans les pensées de chaque personne. Dieu nous invite à nous charger de ses pensées, mais les Écritures rappellent qu'un «ennemi» tente d'influencer notre esprit avec une imagination mal placée. «Si notre Évangile est encore voilé, il est voilé pour ceux qui périssent; pour les incrédules dont le dieu de ce siècle a aveuglé l'intelligence, afin qu'ils ne voient pas briller la splendeur de l'Évangile de la gloire du Christ, qui est l'image de Dieu.»[4] Satan, le dieu en question, influence les pensées. Pourquoi? S'il peut influencer nos pensées, il peut donc aussi affecter ce que nous attirons dans nos vies. Il se trouve que Satan et les forces du mal sont responsables de la plupart des peines et des problèmes que les gens subissent dans leurs vies et leurs relations.[5]

À l'inverse, Dieu nous appelle à prendre le relais de ses pensées. «Car mes pensées ne sont pas vos pensées», dit-il par l'entremise d'Isaïe (55:8). Aussi nous invite-t-il à penser comme lui. C'est pourquoi la Bible doit avoir une place dans nos vies, car ce livre renferme ses mots, ses pensées. Nous sommes invités à laisser entrer les pensées de Dieu. Ainsi, nous serons en mesure d'outrepasser nos propres limites de pensée et de commencer à envisager la vie dans un sens plus large — celui de la vie éternelle. Nous n'avons pas seulement accès à la paix; on nous offre la paix de Dieu. Nous n'avons pas seulement un potentiel de bonheur; nous pouvons être partie prenante de la joie du Seigneur. L'apôtre Pierre affirme qu'en embrassant les pensées de Dieu, nous devenons effectivement «participants de la nature divine»[6]. N'est-ce pas agréable à entendre?

Lorsqu'on considère les tentatives de Satan d'aveugler nos pensées par rapport à l'appel de Dieu pour que nous adoptions les siennes, on se rend vite compte que le combat est inégal. Toutefois, Paul déclare: «Car les armes avec lesquelles nous combattons ne sont pas charnelles; mais elles sont puissantes, par la vertu de Dieu, pour renverser

des forteresses. Nous renversons les raisonne-
ments et toute hauteur qui s'élève contre la connaissance de Dieu, et nous amenons toute pensée
captive à l'obéissance du Christ.»[7]

Nous devons avoir la clairvoyance de déterminer
les pensées qui sont les bienvenues dans notre
esprit et celles qui ne le sont pas, parce que nos
pensées importent. Notre esprit ne constitue pas
une zone passive, qui ne peut que réfléchir à tout ce
qui y pénètre. Nous devons faire le tri dans nos
pensées, en combattant sans relâche les mauvaises à
l'aide des armes que Dieu nous a données à cette fin.
«Au reste, frères, que tout ce qui est vrai, tout ce
qui est honorable, tout ce qui est juste, tout ce qui
est pur, tout ce qui est aimable, tout ce qui mérite
l'approbation, ce qui est vertueux et digne de
louange, soit l'objet de vos pensées»[8], écrivait Paul.

Rhonda Byrne et ses collaborateurs soutiennent
que les pensées sont associées à des «fréquences».
Ainsi, lorsque vous pensez à une chose en particulier, cela émet une fréquence qui vous apportera
cette chose. Si vous pensez en termes d'abondance,
l'abondance viendra à vous. Si vous pensez en
termes de manque, cette notion fera son chemin

jusqu'à vous. Et cela fonctionne pour tout le monde, tout le temps.

Je ne sais pas si cela explique le fonctionnement de la loi de l'attraction, mais il y a certainement quelque chose à l'œuvre quand vous réfléchissez. La loi de l'attraction fonctionne avec ce qui circule dans notre esprit. Elle obéit à nos pensées. Si vous concentrez votre attention sur des choses que vous voulez, la loi de l'attraction entre en action et vous procure l'objet de vos désirs. Au contraire, si vous vous concentrez sur ce que vous ne voulez pas, c'est aussi ce que vous aurez. La loi ne comprend pas que vous ne vouliez pas de cette chose. Elle vous obéit, tout simplement, manifestant ce que vous imaginez. Et c'est toujours ainsi que ça fonctionne.

Ceci pourrait aider: la loi de l'attraction est simplement une réitération de la loi des semences et des moissons. Vous récoltez ce que vous semez. La loi n'a pas de parti pris. Elle ne juge pas si vous êtes digne de vos récoltes ou non. Elle fonctionne seulement à partir de ce que vous semez. Plantez des graines de blé dans le sol et vous obtiendrez du blé. De la même façon, si vous semez les germes de la peur dans votre esprit, vous récolte-rez des événements terrifiants. Au milieu des horribles événements qu'il a traversés, le personnage biblique de Job a déclaré: «Ce que je crains, c'est ce qui m'arrive; Ce que je redoute, c'est ce qui m'atteint.»[9]

Peu importe comment cela fonctionne, cela fonctionne tout le temps, dès que vous pensez. Vos pensées créent votre réalité et, lorsque vous avez une façon de penser chronique, vous entrez dans un processus de création. Quelque chose se prépare à se manifester à partir de ces pensées, que ce soit bon ou mauvais.

Cela suggère que plusieurs des problèmes qui se produisent dans la vie de certaines personnes arrivent parce que celles-ci ont tendance à ruminer les choses qu'elles ne veulent pas. C'est pourquoi ces choses se produisent encore et encore. Chez ces gens, les pensées négatives chroniques entraînent constamment de mauvaises choses dans leur vie. Quand vous vous concentrez sur le négatif, il ne tarde pas à se produire. Pour vivre de nouvelles expériences, vous devez penser à des choses différentes. Vous devez concentrer votre attention sur autre chose. «Les problèmes significatifs auxquels nous faisons face ne peuvent être résolus au même niveau de pensée que celui dans lequel nous nous trouvions lorsque nous les avons créés», disait, à juste titre, Albert Einstein.

La plupart d'entre nous avons besoin de passer à un autre niveau de pensée. Nous sommes trop habitués à ne tenir compte que du côté négatif et pressentons souvent le pire. Lorsqu'ils abordent le besoin de développer de nouveaux schèmes de pensée, Rhonda Byrne et son équipe suggèrent aux gens de porter simplement leur attention sur des choses qu'ils veulent, que ce soit une place de stationnement ou une relation amoureuse saine. Ils leur enjoignent aussi de se rappeler des souvenirs agréables, de faire un tour dans la nature ou d'écouter leur musique favorite. Une avalanche de témoignages tend à prouver l'efficacité de ces suggestions très simples, comme l'écrit Rhonda Byrne:

> Alors que le film faisait le tour du monde, des histoires de miracles commençaient à déferler: les gens écrivaient parce qu'ils avaient guéri de la douleur chronique, de la dépression et de maladies. Certains marchaient

pour la première fois depuis un accident de voiture. D'autres se rétablissaient après avoir été allongés sur leur lit de mort. Nous avons reçu des milliers de récits de gens qui ont utilisé *Le Secret* pour gagner de l'argent et qui ont reçu des chèques inattendus par la poste. Les gens se sont servis du livre à diverses fins: leur maison, leur partenaire de vie, leur voiture, leur emploi, leur promotion. Plusieurs nous ont dit combien leur entreprise avait été transformée en peu de temps depuis qu'ils appliquent les enseignements du *Secret*. Il y a eu des histoires réconfortantes de relations tendues impliquant des enfants, relations qui ont depuis retrouvé l'harmonie.[10]

Croyez-le ou non, ces témoignages ont fâchés certains croyants. Car, comment les gens pouvaient-ils voir leur vie changer aussi radicalement sans l'intervention du Christ? Les gens qui croient en de bonnes choses peuvent aussi ressentir de mauvaises émotions (colère, jalousie, orgueil). Nous nous mettons en colère parce que nous avons tendance à diviser le monde en deux groupes: ceux qui ont tout et ceux qui n'ont rien, ceux qui sont bons et ceux qui sont mauvais, ceux qui sont dans le bon chemin et ceux qui sont dans le mauvais. Qui plus est, nous faisons cela en plaçant des frontières très nettes et en pointant du doigt. Parce que la parole du Christ n'est pas présente dans la présentation de Rhonda Byrne, nous présumons donc que les tenants de ses idées (et peut-être les idées elles-mêmes) sont mauvais et appartiennent à la foule des moins que rien.

Et si cette démonstration était fausse du fait qu'elle simplifie la réalité à outrance?

Voici un des fondements de la théologie: tout ce que Dieu a créé est bon.[11] Cela signifie qu'à la base toute chose et toute personne possèdent un fond de sainteté. On n'ira pas jusqu'à dire que la corruption n'existe pas. Lorsque j'étais gamin, dans le Wisconsin, nous possédions une vieille bagnole toute rouillée. Elle était cabossée et pas très jolie à voir, mais elle fonctionnait toujours. Il y avait donc quelque chose de bon en elle. Les gens et les choses ressemblent en quelque sorte à de vieilles voitures: il y a du bon en nous, mais nous sommes aussi plein de bosses.

N. T. Wright a mieux exprimé cette idée:

> La frontière entre le bien et le mal ne se trouve jamais simplement entre «nous» et «eux». Elle traverse chacun de nous. Il existe ce qu'on appelle de la méchanceté. Nous devons distinguer la petite méchanceté, inférieure, de la grande et terrible méchanceté. Nous ne devons pas faire l'erreur de supposer qu'un voleur d'occasion et un émule d'Hitler sont de la même race, de croire qu'une personne trichant à un examen atteint un même niveau de malveillance qu'un terroriste de la trempe de Ben Laden. Nous ne devons pas non plus imaginer que le problème du mal peut être abordé ou résolu si nous le banalisons en étiquetant les gens en deux groupes, les bons et les méchants.[12]

Les croyants se tiennent près de Dieu justement parce qu'il est bon. En effet, nous voulons que la bonté soit la force prépondérante dans nos vies. Par contre, si des gourous spécialisés en croissance personnelle ne mettent pas la loi de l'attraction dans son contexte chrétien, cela ne fait pas d'eux des êtres mauvais, membres du groupe faisant

fausse route. Cela signifie toutefois qu'il leur manque une bonne partie de l'histoire. Cela veut aussi
dire qu'ils sont téméraires et, à mon avis, peut-être
même ouverts (à certains égards) à certaines formes
de mal (il y a plus à ce sujet un peu plus loin). Cependant, ce ne sont pas nécessairement d'affreux
personnages à écarter du revers de la main. En fait,
ils nous rappellent qu'il y a certains principes à considérer — des principes que les chrétiens gagne-
raient à appliquer.

LA GRÂCE COMMUNE

Pourquoi cette pratique ancienne fonctionne-t-elle
même avec les non-croyants? Parce que la loi de
l'attraction est la loi de la grâce commune. Laissez-moi vous expliquer.

Dieu aime le monde qu'il a créé. Il en voit la valeur
et considère toute chose et toute personne comme
étant précieuse. Il a fait le monde parce qu'il voulait en faire partie, parce qu'il voulait se fondre en
lui. La Bible nous apprend, dans ses dernières
pages, que Dieu reviendra éventuellement au sein
de sa création.[13] Dieu en fait partie de façon à la
fois générale (la grâce commune) et rédemptrice
(la grâce salvatrice).

La grâce commune est cette «faveur» accordée à toute personne, peu importe où elle se trouve. D'ailleurs, le mot «grâce» signifie littéralement «faveur accordée à quelqu'un sans que cela lui soit dû». La grâce commune procure tous les biens que nous connaissons: la terre, les saisons, la pluie, le soleil, les moissons, la beauté, l'amour, la famille, l'amitié, etc. Jésus a dit: «Aimez vos ennemis, bénissez ceux qui vous maudissent, faites du bien à ceux qui vous haïssent, et priez pour ceux qui vous maltraitent et qui vous persécutent, afin que vous soyez fils de votre Père qui est dans les cieux; car il fait lever son soleil sur les méchants et sur les bons, et il fait pleuvoir sur les justes et sur les injustes.»[14] Un jour, l'apôtre Paul, prêchant auprès de païens qui n'avaient jamais entendu parler de Jésus, s'exclama: «Ce Dieu, dans les âges passés, a laissé toutes les nations suivre leurs propres voies quoiqu'il n'ait cessé de rendre témoignage de ce qu'il est, en faisant du bien, en vous dispensant du ciel les pluies et les saisons fertiles, en vous donnant la nourriture avec abondance et en remplissant vos cœurs de joie.»[15]

Au-delà de toute action humaine, Dieu est bon. C'est cela, la grâce commune. Devant un autre groupe non chrétien, Paul proclama: «[Dieu] lui-même donne à tous la vie, la respiration, et toutes choses.»[16] La grâce commune est l'engagement de Dieu dans ce monde, envers l'humanité entière, peu importe qu'on croie en lui ou non. À mon avis, la médecine et la technologie sont des exemples manifestes de la grâce commune.

Je vis dans l'Oklahoma, un État qui fait partie de ce qu'on appelle l'allée des tornades. Pendant les pires tempêtes, je me place devant la télé pour regarder comment les chasseurs de tornades peuvent localiser avec exactitude un tel tourbillon à l'aide d'un bidule appelé radar Doppler. Chaque fois, il me vient cette pensée: «Merci, mon Dieu. Merci de rendre ce monde plus sûr et plus doux en donnant aux gens la sagesse de chercher à comprendre les lois de la nature!» C'est cela, la grâce commune. C'est l'incarnation de l'amour de Dieu pour ce qui est bien et ce qui est mauvais, pour ce qui est bon et ce qui est méchant.

La loi de l'attraction se situe au cœur de la grâce commune. Dieu y est toujours impliqué, mais vous n'avez pas à reconnaître cela pour expérimenter les bénéfices de la grâce commune. Dieu est présent quand vous faites votre jardin, tombez amoureux, riez d'une blague ou ressentez cette plénitude à la suite de la réalisation d'un projet. Il est dans tout le bien que nous rencontrons dans notre vie. Il est également présent dans les manifestations physiques de ce qui se passe dans notre tête à travers la loi de l'attraction.

La bonne nouvelle, c'est qu'il y a plus encore. Ce plus, c'est la grâce rédemptrice, un état qui se produit lorsqu'on entre en contact avec Dieu de façon plus directe. Nous ressentons sa présence, son pardon et le fruit de l'Esprit saint; nous accédons à sa promesse et nous partageons avec lui la vie éternelle. Assurément, cela vaut bien des promotions, bien des nouvelles voitures ou n'importe quoi d'autre que la grâce commune peut avoir attiré dans notre vie. Toutefois, les deux grâces sont liées. La manière la plus rapide de découvrir la grâce rédemptrice consiste à reconnaître que Dieu est la source de la grâce commune. Autrement dit, louangez Dieu pour tout le bien qu'il apporte dans votre vie.

Si il est si important de remercier Dieu, ce n'est certes pas parce que celui-ci fait une petite «crise de vedette». De telles louanges servent simplement à reconnaître que Dieu est à la source de tout ce que nous connaissons. Lorsque nous remercions Dieu — lorsque nous nous montrons reconnaissant de sa grâce commune —, une porte s'ouvre sur la grâce rédemptrice, une sorte de grâce commune dopée aux stéroïdes! (Nous reviendrons là-dessus plus tard.)

NOUS SOMMES DES MICHEL-ANGE

Quand vous réalisez que Dieu a connecté votre qualité de vie à vos pensées prédominantes, vous devenez plus attentif à ce qui se passe dans votre tête. C'est tout de même incroyable de découvrir que vous avez vous-même attiré à vous vos proches, votre emploi, votre environnement, votre santé, votre richesse, vos mauvaises créances, votre bonheur, bref, tout! Ce que nous tournons et retournons dans notre esprit parvient à nous; nous l'attirons comme un aimant attire vers lui le métal. Autrement dit, si on pense à quelque chose, on obtient quelque chose.

Nos pensées sont notre burin. Quand Michel-Ange a sculpté David, il était le seul maître de l'image qui devait apparaître. De façon similaire, nous pouvons graver intentionnellement nos émotions, nos relations, notre carrière — en fait, tout ce qui nous touche — en comprenant la loi de l'attraction et en coopérant avec elle. Nous sommes de ce fait des Michel-Ange. Dieu ne nous retient pas, il ne cherche pas à nous décourager. Il nous a donné la vie comme on offre un cadeau. Il souhaite maintenant que nous apprenions à en prendre les rênes, comme nous le faisons avec les autres lois de la nature, afin d'en tirer profit.

Apprenez à bien vivre, à vous améliorer et à être heureux, comme les fermiers s'émerveillent devant les cultures qui s'épanouissent. Apprenez à discuter des divergences au sein d'une relation, à l'image de médecins qui ont appris à pratiquer des chirurgies moins invasives, exigeant un temps de récupération moins long. C'est le grand secret, et nous avons tous à apprendre à coopérer avec lui. Nous devons commencer à espérer le meilleur plutôt que le pire. Nous devons garder espoir plutôt que de vivre dans la crainte. Cela est accessible à tous, même à ceux et celles qui n'ont pas la foi.

À travers votre foi en Dieu, mettez la grâce rédemptrice au sommet de votre savoir au sujet de la loi de l'attraction et préparez-vous à la vraie vie. «Tout est possible à celui qui croit[17]», dit Jésus à propos de cette vie, ajoutant: «Tout ce que vous demanderez en priant, croyez que vous l'avez reçu, et vous le verrez s'accomplir.»[18]

Quel genre de vie aurions-nous si nous maîtrisions la grâce commune et utilisions notre foi pour atteindre la grâce rédemptrice? Nous aurions probablement l'air des fils et des filles de Dieu. Nous serions emplis d'espoir, d'affection pour les autres, d'exubérance à propos de la vie, de calme, de compassion, d'assurance devant les difficultés. Nous serions convaincus de la présence de Dieu dans chaque personne et chaque chose (tout en étant conscients de la possibilité qu'ils recèlent des marques de corruption). Nous aurions des engagements loyaux, n'aurions pas tendance à forcer les choses et serions capables de doser et de diriger sagement nos énergies. La vie serait si agréable, bien plus encore que le suggèrent les tenants de la version moderne de la loi de l'attraction. Laissez-les avec leurs fixations sur ces basses considérations que sont les voitures, les maisons et les vacances coûteuses, toutes ces choses qui font se sentir bien quelque temps. Ces gens pensent qu'ils utilisent la loi de l'attraction. Ce sont plutôt les croyants qui s'en servent vraiment. Dans ce qui suit, nous verrons de plus près comment ils s'y prennent.

3

UTILISER LA LOI
DE L'ATTRACTION

Pourquoi les choses se produisent-elles de telles façons? Pourquoi les gens nous traitent-ils comme ils le font? Pourquoi certains ont-ils toujours de la chance, alors que d'autres semblent avoir été frappés par une quelconque malédiction? Est-ce le destin? D'autres forces entrent-elles en jeu dans notre monde? Les bonnes choses arrivent-elles à certains et les mauvaises frappent-elles les autres parce que Dieu aiment les premiers mais pas les seconds?

Bien que je ne sois pas enclin à accepter l'idée que nous contrôlons tout par la loi de l'attraction, je crois que nous sommes en mesure de contrôler bien plus de choses que ce que pense la majorité des gens.

Le Secret nous donne par ailleurs les connaissances pour arriver à prendre encore plus de contrôle.

«Vous créez votre propre univers au fil de vos jours», disait Winston Churchill. Si c'est vrai, cela signifie quoi? Et si les êtres humains, créés à l'image de Dieu, étaient destinés à être partie prenante du processus créatif?

Dans *Le Secret*, Rhonda Byrne prétend que nous avons le pouvoir de changer toute chose. Pour ce faire, nous devons choisir les pensées qui entrent dans notre esprit, en étant sensibles aux émotions que nous ressentons. L'auteure maintient que ce sont nos pensées et nos émotions persistantes qui drainent vers nous les choses qui se présentent dans nos vies.

Et s'il y avait quelque chose de vrai là-dedans?

Je me souviens de beaucoup de moments où ça m'est arrivé. En fait, quand je prépare les messages que je souhaite livrer aux fidèles de mon Église, je remarque que je tombe toujours sur des conversations, des textes et des émissions de télé qui traitent exactement des sujets que je veux aborder. Combien de fois, pendant un sermon, avez-vous été frappé par le fait que vous pensiez exactement à ce que vous êtes en train d'entendre? C'est comme si le pasteur ou le curé était capable de lire dans vos pensées!

Combien de fois avez-vous soudainement pensé à une personne que vous n'avez pas vue depuis des lunes? Quelques jours ou quelques heures plus tard, voilà qu'une autre personne vous parle d'elle. Que se passe-t-il? Est-ce seulement une coïncidence ou est-ce une sorte d'aura qui flotte autour de la Terre, ramenant à vous toutes les choses et toutes les personnes à qui vous pensez? Imaginer que les pensées fonctionnent en ce sens rend certainement le processus plus pittoresque et tangible. Ça le rend plus réel. L'idée que vos pensées et vos émotions sont retransmises dans le monde et qu'elles vous rapportent ce à quoi vous avez pensé, ce envers quoi vous avez ressenti quelque chose, voilà certes un concept extravagant.

COMMENT CELA FONCTIONNE-T-IL?

Je dois admettre que je suis mal à l'aise quand Rhonda Byrne et son équipe parlent de certitudes scientifiques à propos de la loi de l'attraction, alors que tout cela n'est qu'un jeu de devinettes. Les fondements scientifiques de leurs prétentions sont pour le moins douteuses. Comment peut-on prouver l'idée que les pensées émettent des fréquences qui attirent vers soi leur pendant physique? «Vous êtes tels des tours de transmission humaines. Vous transmettez des fréquences à l'aide de vos pensées.»[1]

Je ne pense pas que le livre tente réellement de prouver ses hypothèses à propos du fonctionnement de la loi de l'attraction. Je crois plutôt qu'on essaie de rendre ce concept plus tangible et accessible au plus grand nombre. Bien que ce schéma de «transmission» de la pensée soit assez maladroit, vous ne devriez pas en être offensé. Vous ne devriez pas non plus rejeter tout ce qui a été dit à cause de cela.

Les croyants ont souvent peur d'essayer de comprendre des choses relatives à la foi. En vérité, nous préférons laisser l'objet de nos croyances dans la grande armoire du «mystère». Nous croyons que le mystère de la foi doit rester impénétrable. Essayer d'expliquer l'inexplicable va à l'encontre de notre croyance dans le mystère et la foi. C'est pourquoi toute tentative de jeter de la lumière sur des pans de ce mystère est rapidement reléguée au rang de «folie», d'influence «satanique» ou d'«hérésie nouvelâgeuse». Pourtant, il n'y a rien de fou, de satanique ou d'hérétique à vouloir comprendre les voies concrètes qu'empruntent les choses qui se produisent dans nos vies. Calmons-nous un peu. En fait, je crois que ce serait bon pour nous d'émettre des hypothèses sur le fonctionnement de telles choses.

Prenez l'exemple de la prière. Comment cela fonctionne-t-il? Nous croyons tout simplement que ça marche. Mais si nous essayions de voir comment ça marche, d'en décortiquer la nature physique? Se pourrait-il qu'une sorte d'énergie soit transmise de notre esprit vers Dieu? Les Écritures soutiennent qu'au paradis, il y a des «coupes d'or remplies de parfums, qui sont les prières des saints»[2]. Doit-on prendre cela au premier degré? Et si Dieu pouvait capter nos prières et les placer dans des coupes d'or? La prochaine fois que vous priez, pensez-y...

Paul appelait les croyants «la bonne odeur du Christ» et disait qu'ils avaient «une odeur de vie»[3].

Et si c'était vrai, littéralement, dans le royaume de l'éternel? (Cela signifierait que Dieu nous sent et que nous sentons bon.) C'est difficile à imaginer, mais ça ne veut pas dire que ce n'est pas possible. Et bien que nous n'ayons aucun moyen de mesurer ce genre de chose à l'heure actuelle, qui peut prétendre qu'on ne pourra pas le faire plus tard?

Dieu a créé l'univers à l'aide de lois qu'il nous a fallu des millénaires à comprendre. Nous commençons à peine à déchiffrer l'espace, la météo, le génome et les merveilles du corps humain. Les années 1990 ont été surnommées «la décennie du cerveau», et les scientifiques ont découvert des tonnes de nouvelles données à propos du fonctionnement de notre ordinateur central. Nous savons maintenant que des processus chimiques et électriques dans notre cerveau sont à la base de nos émotions (stress, joie, crainte, peur...). Peut-être découvrirons-nous un jour une sorte de «champ d'énergie» qui démontrera le fonctionnement physique de la loi de l'attraction? Les croyants doivent cesser d'être aussi nerveux à propos de ces nouvelles découvertes.

Si des gens doivent se montrer ouvert à de telles idées, ce sont bien les croyants. Sentons-nous à l'aise d'explorer ces choses, car nous sommes après tout liés aux Écritures.

PREUVE BIBLIQUE

Croyez-le ou non, les Écritures renferment des preuves de l'action de nos pensées et nos émotions dans le monde physique. Dans le livre de Jérémie, le mot hébreu *ra'a* est employé 90 fois. Pour Jérémie, *ra'a* consistait en cette entité, Israël, que Dieu voyait émerger de son peuple. «[*Ra'a*] est une aura, avec des effets sur le monde, une aura qui encercle comme un agent particulier, qui provoque sa propre destinée»[4], explique le théologien Klaus Koch. Jérémie considérait ce *ra'a* comme une sorte de transmission de l'état émotif et spirituel d'Israël, propulsé dans le monde puis devenu cette terre nommée Israël.

«C'est là le produit de tes voies et de tes actions, déclara Jérémie. C'est là le produit de ta méchanceté; Certes, cela est amer, cela pénètre jusqu'à ton cœur.»[5] Le *ra'a* a en effet apporté des choses horriblement négatives dans la vie de ces gens.

C'est si difficile d'imaginer qu'autant de circonstances qui se produisent dans votre vie soient le fruit de forces émanant de vous... Et si c'était vrai, ne devriez-vous pas faire tout en votre pouvoir pour apprendre à gérer ces forces?

GÉREZ VOS PENSÉES

Si vos pensées attirent certaines choses dans votre vie, vous voudrez sûrement faire en sorte d'arrêter de penser à des choses négatives. Des pensées remplies de peur, de crainte, de péché, de haine, de mesquinerie et de honte entraînent chez la personne qui les entretient des expériences effrayantes, faites de crainte, de péché, de haine, de mesquinerie et de honte.

Par conséquent, quand entreprendrez-vous de prendre en main vos pensées? Des chercheurs nous disent que nous avons des dizaines de milliers de pensées chaque jour. Essayer de les contrôler toutes serait impossible. La bonne nouvelle, c'est que vos émotions constituent le baromètre de vos pensées. Si vous vous sentez bien, vous risquez en effet d'avoir de bonnes pensées. Si vous vous sentez mal, il y a fort à parier que vos pensées seront négatives. Les émotions sont comme les grands titres des journaux: elles vous disent de quoi il est question, elles indiquent vos pensées principales.

Bien que ceci soit une banale simplification, une manière facile de tirer profit de la loi de l'attraction consiste à faire les choses pour lesquelles vous vous sentez à l'aise et à éliminer celles qui vous tiraillent l'esprit. Rhonda Byrne et ses collaborateurs répètent inlassablement cet argument:

> Il existe deux grandes familles d'émotions: les bonnes et les mauvaises. Vous savez comment les distinguer, puisque les premières font en sorte que vous vous sentez bien, alors que les secondes (la dépression, la colère, l'amertume, la culpabilité) vous rendent mal à l'aise. Ce sont des émotions qui vous font perdre le contrôle. En contrepartie, vous avez aussi de bonnes émotions et des bons sentiments: l'excitation, la joie, la gratitude, l'amour... Vous savez lorsque ça arrive parce que vous vous sentez bien. Imaginez si nous pouvions ressentir de telles émotions chaque jour. Lorsque vous donnez toute la place aux bons sentiments, vous attirez vers vous encore plus de bonnes émotions et de choses qui vous font vous sentir bien.[6]

Rhonda Byrne affirme que vos pensées produisent une fréquence et que vos émotions indiquent immédiatement de quelle fréquence il s'agit. Quand vous vous sentez mal, vous êtes à une fréquence qui vous attire encore plus de malheur. La loi de l'attraction fonctionne de façon à vous faire vivre plus intensément les émotions que vous ressentez, qu'elles soient bonnes ou mauvaises. Il en résulte que nous devons apprendre à porter attention à nos émotions. Apprendre à les gérer est plus facile que d'essayer de gérer des milliers de pensées. Toutefois, il y a plus encore à propos du Secret...

LA DURE RÉALITÉ

Il semble que Rhonda Byrne veut nous encourager à attirer les bonnes choses: «Si vous vous sentez bien, vous vous préparez un avenir qui soit en lien avec vos désirs. Si vous vous sentez mal, vous vous créez un futur qui ne respectera pas vos souhaits.»[7] Toutefois, elle se laisse ensuite aller à des affirmations radicales, comme celle-ci: «Lorsque j'ai vraiment compris que mon objectif premier consistait à ressentir et à vivre de la joie, j'ai commencé à faire seulement des choses qui m'apportaient du bonheur. J'avais pour mon dire: "Si ce n'est pas agréable, ne le fais pas!"»[8]

Jusqu'à quel point cela fonctionne-t-il? Comment pouvez-vous ne faire que des choses agréables? Rhonda Byrne nous enjoint inlassablement de ne faire que ce que nous aimons faire et d'éviter les choses que nous n'aimons pas faire. À un moment donné, elle nous dit même: «Si vous éprouvez du bonheur à manger un sandwich au salami, faites-le!»[9]

D'accord. Mais, si j'aime vraiment les sandwichs au salami, qu'arrivera-t-il si j'en mange tant que mes artères bloquent me menant tout droit à la crise cardiaque? Est-ce vraiment *agréable*?

Il me semble qu'à force de vouloir simplifier les choses, les tenants de cette version moderne de la loi de l'attraction sont en train d'ouvrir une sorte de boîte de Pandore. Il y a deux types de plaisir, deux types de bonheur. Il y a le plaisir de manger ce que vous voulez et de devenir une loque humaine, et il y a le plaisir de se maintenir en santé, qui vient d'une bonne alimentation et d'un entraînement rigoureux. Il y a le plaisir de sortir tous les soirs avec des amis, d'aller voir des films et de jouer aux cartes, et il y a le plaisir d'obtenir un bon emploi parce que vous vous êtes soumis à une éducation, à des lectures et à des examens.

Ce n'est pas parce que quelque chose est difficile et déstabilisant à court terme que vous devriez l'éviter. Bien souvent, les douleurs à court terme se transposent en un investissement à long terme. Si votre credo consiste à faire tout ce qui vous procure des émotions positives dès maintenant, vous vous dirigez vers une vie de chagrin. Il y a des décennies, W. Beran Wolfe a écrit :

> Si vous avez écarté toute chose déplaisante de votre vie, votre bonheur est placé dans un équilibre précaire à cause de la crainte constante que d'inévitables déceptions se cachent à chaque coin de rue. Si vous avez affronté la douleur et les déceptions, vous accordez non seulement une plus grande valeur à votre bonheur mais vous êtes aussi préparé à l'imprévisible. Il y a sûrement bien des végétaux qui ont eu du succès en évitant tout malheur et toute douleur, mais ils ne peuvent revendiquer le statut d'humain.[10]

Bien des choses agréables ne peuvent être appréciées qu'après avoir marché sur les sentiers de la dure réalité. Au lieu d'éviter ce qui vous met mal à l'aise, réfléchissez plutôt à ce qui rend cette expérience bonne ou mauvaise. Voyez loin devant vous. Que deviendrait votre vie si vous persistez dans cette voie? Vous convient-elle? Votre vie en serait-elle enrichie? Si vous sentez qu'il y a là les germes de quelque chose de bien (même si vous en retirez de mauvaises émotions), choisissez alors de penser à cette expérience différemment: voyez, au-delà de la douleur, la récompense que vous en retirerez. À ce moment, vous pourrez affronter avec plaisir ce qui semblait si difficile au départ. Gérez vos émotions, au lieu de les laisser décider de votre route. Peut-être même découvrirez-vous bien des choses merveilleuses en chemin.

Prenez l'exemple d'un mariage tumultueux. Est-ce que les deux conjoints doivent tout laisser tomber? Une des lois régissant les relations interpersonnelles stipule ceci: les tensions exigent de l'attention. Cela n'est certes pas plaisant. La plupart des gens se sentent mal de devoir affronter leur partenaire quand il faut régler un problème, et plusieurs décident d'éviter la question. Il y a bien plus de joie dans l'évitement que dans l'affrontement, du moins au départ. Pourtant, quand on repousse sans cesse l'issue d'une confrontation nécessaire, le vase finit par déborder.

Bill Hybels écrit à ce sujet:

> Les gens au cœur tendre se donneront un mal incroyable pour éviter toute forme de confusion, d'agitation ou de bouleversement dans leur relation. S'il survient la moindre tension dans le mariage et qu'un des partenaires demande à l'autre ce qui ne va pas, ce dernier répondra alors: «Rien.» Ce qu'il ou elle dit vraiment, c'est: «Quelque chose ne va pas, mais je ne veux pas en faire un plat.» En choisissant d'acheter la paix plutôt que de dire la vérité, ces personnes pensent qu'elles agissent noblement. En réalité, elles font un mauvais choix. Peu importe ce qui a causé la tension dans le couple, cela reviendra. La paix deviendra de plus en plus difficile à garder. Une impression de déception commencera à circuler dans les veines de la personne au cœur tendre, ce qui la mènera à de la colère et de l'amertume, puis de la haine. La

relation peut mourir à petit feu alors que tout semble paisible en surface.

La paix à tout prix est une forme de tromperie sortie tout droit de l'enfer. Vous connaissez votre besoin de dire la vérité, mais un esprit malveillant vous souffle à l'oreille: «Ne fais pas ça. Il ne t'écoutera pas. Elle n'acceptera pas ça. Ça ne fera qu'empirer les choses. Ça n'en vaut pas la peine.» Si vous croyez en de tels mensonges, il y a une forte probabilité que vous ferez mourir cette relation tôt ou tard.[11]

En vérité, il est impératif d'en venir à l'affrontement. C'est la clé d'une réelle intimité, et ça, c'est plaisant.

Qu'en est-il par ailleurs à propos des enfants? Je n'ai jamais aimé corriger mes enfants. Je suis le genre de père qui aime leur donner tout ce qu'ils veulent. Toutefois, toujours donner aux enfants ce qu'ils souhaitent est une recette pour produire des adultes irresponsables et de véritables dictateurs. Élever des enfants pour en faire des adultes responsables exige certaines décisions et certains gestes peu agréables.

Se sentir mal à propos de cela ne veut pas dire qu'il faut arrêter de le faire. Si c'était vrai, pourquoi oseriez-vous adopter une ligne de conduite aussi difficile? Pourquoi faut-il se lever et aller travailler? C'est dur parfois. Pourquoi alors ne pas aller simplement s'asseoir à son bureau, découper des images et imaginer des millions de dollars de bonus?

Pourquoi étudier? Ce n'est pas toujours agréable. Tenez-vous-en seulement aux bonnes émotions et essayez, pour voir, si vous pourrez obtenir des A à vos examens. Pourquoi s'entraîner au gym? C'est vraiment difficile et ça fait mal. Pourquoi ne pas plutôt manger des sandwichs au salami et prendre de petites collations toute la journée? Pensez seulement à tout ce que procure le fait d'être en forme... Imaginez que vous êtes en pleine santé.

Je ne crois pas vraiment que Rhonda Byrne et son équipe aient dit tout cela, mais ils n'ont certainement pas averti quiconque de ces dangers. «Ce qu'il vous faut savoir de plus important, écrit Rhonda Byrne, c'est qu'il est impossible que vous vous sentiez mal et que vous ayez, en même temps, de bonnes pensées. Lorsque vous vous sentez mal, vous êtes à la fréquence où vous attirez davantage de mauvaises choses. De fait, pendant que vous vous sentez mal, vous vous dites: "Que l'on m'apporte encore d'autres circonstances qui feront me sentir mal. Allez, qu'on m'en apporte!"»[12] Plus loin, elle continue ainsi: «Lorsque vous vous sentez mal, vous entrez en communication avec l'univers qui, de fait, vous répond: "Attention! Une fréquence négative est présentement en cours d'enregistrement. Changez de fréquence. Changez maintenant votre façon de penser.»[13]

LA VIE EST CENSÉE ÊTRE BONNE

Oui, nos pensées et nos émotions composent la majeure partie de ce que nous appelons notre vie. Ils créent aussi une aura qui s'élève et nous rapporte des situations semblables à celles que nous avons déjà vécues, selon la manière dont nous les avons vécues. Les bonnes pensées et les bonnes émotions attirent à nous des situations positives. Les mauvaises nous apportent des situations négatives. Dieu nous a donné la vie comme s'il s'agissait d'un cadeau. La vie est de ce fait bonne en elle-même. Elle n'a pas à se transformer en une corvée ou une lutte constante. Nous devons éviter les mauvaises pensées et les mauvaises émotions afin de faire de la place aux bonnes. Toutefois, gardons à l'esprit ceci: rechercher uniquement les émotions positives n'est qu'une façon de se défiler.

Nos pensées et nos émotions se reflètent dans nos vies, elles créent les circonstances dans lesquelles nous évoluons. Vous êtes-vous déjà retrouvé dans une salle où des gens se battaient? L'air devait être empli d'obscurité, d'un négativisme palpable. À l'opposé, l'air est léger et frais dans une maison remplie de respect et d'amour. Sans savoir pourquoi, on dirait que les pièces sont mieux éclairées. Quelle est la différence entre une demeure où règne le conflit et une autre remplie d'affection et de respect? La réponse se situe du côté des pensées et des émotions que les gens entretiennent les uns envers les autres.

Souvenez-vous des mots de Churchill: «Vous créez votre propre univers au fil des jours.» Nous devons maîtriser nos pensées et nos émotions, car elles créent notre réalité. Par cela, je ne suis pas en train de vous suggérer que Dieu ne doit pas être louangé. Au contraire, car c'est lui qui, au départ, a créé ces lois. Nous pouvons témoigner que les bonnes choses arrivant dans nos vies sont le résultat de la loi de l'attraction. En même temps, nous pouvons remercier Dieu avec exubérance, comme le fermier le ferait devant une récolte miraculeuse. Oui, le fermier est celui qui, à la sueur de son front, a travaillé la terre. C'est cependant Dieu qui mérite d'être porté en triomphe.

Moïse a défié les enfants d'Israël à ce sujet: «Garde-toi de dire en ton cœur: Ma force et la puissance de ma main m'ont acquis ces richesses. Souviens-toi de l'Éternel, ton Dieu, car c'est lui qui te donnera de la force pour les acquérir, afin de confirmer, comme il le fait aujourd'hui, son alliance qu'il a jurée à tes pères.»[14]

4

J'AI LE SENTIMENT QUE...

Parlons encore un peu des émotions. Si le contrôle des émotions est capital pour utiliser le pouvoir inhérent à la loi de l'attraction, il faut d'abord bien comprendre ses émotions. Pensez à cela: vos émotions sont des aimants, qui attirent le bon comme le mauvais dans votre vie, dans votre demeure, sur vos enfants, dans votre relation, etc. Voyez-y, et vite!

Mais avant de creuser plus profondément le sujet, laissez-moi faire une rapide mise en garde. Comme je l'ai dit plus tôt, contrairement à ce qu'affirment ceux qui font la promotion d'un usage plus commun de la loi de l'attraction, les pensées et les émotions ne sont pas les seules forces en jeu dans nos vies. Toutes choses étant égales, la loi de l'attraction fonctionne de la même façon que la loi des semences et des récoltes. Toutefois, il arrive parfois que d'autres forces les devancent.

Par exemple, tout bon fermier approche avec confiance la saison des semis, car la loi des semences et des récoltes devrait être en marche. Dans la plupart des cas, c'est vrai, mais cela n'empêche pas les sécheresses, les tempêtes ou les gels. Si ces phénomènes se produisent, les récoltes seront compromises. Le fermier ne doit pas en conclure que la loi des semences et des récoltes ne fonctionne pas; il doit plutôt reconnaître que d'autres forces sont entrées en action et ont supplanté la loi des semences et des récoltes.

Prenons un autre exemple: la loi de la gravité. Celle-ci fonctionne toujours. Comment expliquez-vous alors que des objets de métal puissent voler dans les airs autour de la Terre? Ce n'est pas que la gravité ne tient pas compte des avions. C'est plutôt que ceux-ci répondent à une autre loi, la loi de la force ascensionnelle. Sur cette planète, cette force peut en effet s'opposer à la loi de la gravité.

Je suis en désaccord avec l'utilisation actuelle que certains font de la loi de l'attraction, car ceux-là hésitent à admettre que cette loi peut céder le pas à d'autres pouvoirs. Ces gens ne parlent jamais de cela. Au contraire, ils s'accrochent à l'idée que la loi de l'attraction est souveraine, qu'aucune autre force ni loi ne peut l'évincer. Selon eux, si vous faites appel à cette loi, vous connaîtrez inévitablement le succès. Pourtant, il y a d'autres forces plus grandes que la loi de l'attraction. Regardons-y de plus près.

LE SECRET ET DIEU

La volonté de Dieu aura toujours préséance sur le Secret. Vous pouvez prétendre que cela n'existe pas et utiliser la loi de l'attraction comme bon vous semble. Cela ne signifie pas que les choses iront dans le sens que vous recherchez. Jésus l'a bien expliqué dans ce récit:

> Les terres d'un homme riche avaient beaucoup rapporté. Et il raisonnait en lui-même,

disant: «Que ferai-je? Je n'ai pas de place pour serrer ma récolte. Voici, dit-il, ce que je ferai: j'abattrai mes greniers, j'en bâtirai de plus grands, j'y amasserai toute ma récolte et tous mes biens; et je dirai à mon âme: "Mon âme, tu as beaucoup de biens en réserve pour plusieurs années; repose-toi, mange, bois et réjouis-toi."» Mais Dieu lui dit: «Insensé! Cette nuit même ton âme te sera redemandée; et ce que tu as préparé, pour qui cela sera-t-il?» Il en est ainsi de celui qui amasse des trésors pour lui-même, et qui n'est pas riche pour Dieu.[1]

LE CONTEXTE CULTUREL

On ne saurait négliger l'importance du contexte culturel dans lequel nous vivons. C'est là une autre grande force. En effet, la loi de l'attraction ne va pas vous permettre d'éradiquer tous les problèmes liés à la consommation de drogues en Amérique du Nord! De la même façon, même si vous avez des pensées et des émotions des plus nobles, vous n'arriverez pas à éliminer le racisme et le sexisme. Vous ne réglerez pas non plus les problèmes de pauvreté en découpant des images joyeuses et en évoquant des pensées heureuses.

LE PROBLÈME DU PÉCHÉ

Il existe aussi une force issue de la loi du péché et de la mort[2]. Cette loi a placé le monde entier sur une trajectoire négative depuis la chute relatée dans la Genèse[3]. Oui, Dieu cherche à restaurer cela, mais par le travail de la grâce rédemptrice, plus grande que la grâce commune, là où la loi de l'attraction prend toute sa puissance. C'est pourquoi nous ne pouvons pas changer suffisamment au cours de notre vie, même si la loi de l'attraction nous permet de faire plusieurs changements. Nous ne pouvons penser à nous-mêmes comme si nous étions sauvés, pas plus qu'il nous est possible de cultiver suffisamment de bonnes émotions pour nous sauver nous-mêmes. Le monde a encore besoin d'un Sauveur.

LE SECRET ET SATAN

Finalement, il y a la force du royaume des ténèbres. «Nous savons que nous sommes de Dieu, et que le monde entier est sous la puissance du malin»[3], est-il dit dans les Écritures. Voilà une bien mauvaise pensée! Vous pouvez essayer de l'ignorer. Vous pouvez essayer les trucs mis de l'avant par l'équipe de Rhonda Byrne, comme de procéder à des «glissements secrets»[4], des exercices qui vous permettent de glisser d'un état d'esprit à un autre instantanément — en écoutant votre pièce musicale préférée, en chantant ou en vous rappelant un moment important ou très amusant. Cela ne vous libérera pas de votre prison spirituelle.

Paul explique cette triste condition: «Vous étiez morts par vos offenses et par vos péchés, dans lesquels vous marchiez autrefois, selon le train de ce monde, selon le prince de la puissance de l'air, de l'esprit qui agit maintenant dans les fils de la rébellion. Nous tous aussi, nous étions de leur nombre, et nous vivions autrefois selon les convoitises de notre chair, accomplissant les volontés de la chair et de nos pensées, et nous étions par nature des enfants de colère, comme les autres.»[5]

Vous ne pouvez pas utiliser la loi de l'attraction pour sortir d'une telle pagaille. Jésus a dû mourir pour colmater la brèche. Il a payé de sa vie le fait de briser le contrôle de Satan sur l'humanité. Et il n'a pas suivi de recette secrète. «Dieu nous a délivrés de la puissance des ténèbres et nous a transportés dans le royaume du Fils de son amour, en qui nous avons la rédemption, la rémission des péchés.»[6]

BRISER LES FORTERESSES

Je suis d'accord avec l'équipe de Rhonda Byrne: nous ne devrions pas passer notre vie à nous sentir mal. Je suis également d'accord au sujet du fait que nos mauvaises émotions indiquent de mauvaises pensées. Les tenants de la philosophie moderne de la loi de l'attraction croient que si vous vous sentez bien, l'avenir que vous vous créez ira dans le même sens que vos désirs. Si vous vous sentez mal, c'est l'opposé qui se produira: les choses que vous voulez et l'avenir que vous vous créez emprunteront différents chemins. Comme toute pensée et toute émotion créent la vie au-devant de vous, vous devez faire très attention de ne pas laisser les pensées négatives diriger votre esprit. Si vous le faites, vous en récolterez sûrement des conséquences néfastes. Par exemple, plus vous ressentez de l'anxiété sur une base quotidienne, plus l'anxiété envahira votre vie chaque jour. (Rappelez-vous que la loi de l'attraction fonctionne tout le temps.)

D'accord pour cela. Par contre, je ne suis pas d'accord avec l'idée de dominer de mauvaises émotions en claquant des doigts. «Vous vous sentez déprimé? Changez cela en un instant en mettant un bon morceau de musique ou commencez à chanter. Ça transformera votre émotion, soutiennent Rhonda Byrne et son équipe. Vous pouvez aussi penser à quelque chose de merveilleux. Pensez à un bébé ou à quelqu'un que vous aimez vraiment et concentrez-vous sur cette image. Gardez cette pensée à votre esprit. Bloquez tout sauf cette pensée. Je garantis que vous commencerez à vous sentir mieux.»[7]

Je suis d'accord avec cette affirmation dans certains cas (comme lorsque la personne qui réfléchit se trouve à avoir une bonne santé mentale et se révèle être un individu mûr spirituellement). Toutefois, pour être honnête, je vous avoue que je suis en désaccord la plupart du temps. Les émotions sont certes un baromètre de ce qui se passe à l'intérieur de nous, mais le fait de changer trop vite afin de laisser place seulement aux bons sentiments n'est qu'une forme de déni. Or, le déni n'est jamais une bonne chose.

Les mauvaises émotions sont assez complexes. Il se peut que vous ne compreniez pas tout à fait pourquoi vous vous sentez mal. Nous développons des façons de penser qui font en sorte que nous nous sentons mal, et nous collons à cette réalité depuis si longtemps que nous ne nous rappelons pas ce qui a engendré ces façons de penser. Ainsi, nous vivons à travers ces mauvaises émotions. Peut-être certaines émotions négatives sont-elles liées à une enfance tragique? D'autres peuvent être le résultat d'une rancune que nous entretenons à l'égard d'une autre personne. Un sentiment de crainte peut émaner d'un échec passé. Par conséquent, chaque fois que nous abordons une situation similaire à celle qui nous a fait vivre l'échec, nous recommençons à ressentir les mêmes mauvaises émotions encore une fois, et ce, même si nous ne savons pas pourquoi il en est ainsi. Certains d'entre nous ont développé un profond sentiment d'infériorité ou de honte, qui enveloppe leurs émotions d'une chape toxique.

Tous ces modèles de pensées complexes peuvent produire, de façon chronique, des mauvaises émotions qui nous paralysent. Nous ne devons pas les laisser envahir notre âme, sinon la loi de l'attraction travaillerait contre nous en attirant continuellement des événements, des circonstances et des émotions qui confirmeraient notre échec, notre infériorité, notre honte, et ainsi de suite. Toutefois, suggérer que l'on peut faire tomber ces mauvaises émotions instantanément en chantant, en mangeant un sandwich au salami ou en caressant un chaton est pour le moins stupide. On ne peut pas alors parler de transformation; on parle plutôt de prétention. C'est du déni dans sa forme la plus insidieuse.

Dans la Bible, ces modèles de pensées négatives qui produisent de mauvaises émotions sont appelés «forteresses»[8]. Celles-ci vous tiennent et vous gardent férocement. Pourtant, Dieu ne veut pas que les humains soient ainsi prisonniers d'eux-mêmes. Il souhaite que nous soyons heureux.

Souvenez-vous des mots qu'a employés Jésus à l'endroit de ses apprentis: «Venez à moi, vous tous qui êtes fatigués et chargés, et je vous donnerai du repos. Prenez mon joug sur vous et recevez mes instructions, car je suis doux et humble de cœur; et vous trouverez du repos pour vos âmes. Car mon joug est doux, et mon fardeau léger.»[9] Dieu a promis à son peuple, Israël, prisonnier de l'Empire babylonien: «Je connais les projets que j'ai formés sur vous, projets de paix et non de malheur, afin de vous donner un avenir et de l'espérance.»[10]

Dieu nous a promis la liberté, mais la route qui y mène est parsemée de forteresses, et ce ne sont pas de basses prétentions qui en viendront à bout. Nous ne sommes pas censés tricher avec notre esprit. Nous aimerions croire que nous vivons dans un conte de fées alors que nous sommes à deux pas des portes de l'enfer? Acceptons la main tendue de Dieu, qui guidera nos pas sur le chemin tortueux qui consiste à négocier avec notre passé et à faire face à l'avenir avec bonheur.

«Car les armes avec lesquelles nous combattons ne sont pas charnelles; mais elles sont puissantes, par la vertu de Dieu, pour renverser des forteresses.»[11]

GARDER LE CONTACT

Les croyants sont tellement portés à suivre leur foi qu'ils en oublient parfois leurs émotions. C'est un peu normal quand vous aimez quelqu'un d'invisible. Par contre, ignorer ou réprimer ses émotions n'est certes pas une bonne chose à faire. En fait, cela nous prive de la touche divine.

Dans *Emotionally Healthy Spirituality*, Peter Scazzero a fait la lumière sur cette aversion qu'éprouvent les chrétiens envers leurs émotions. Il a aussi démontré combien cela empêche, souvent, la résorption de la colère et de la frustration. L'auteur affirme que bien des croyants n'ont pas appris à gérer leurs émotions profondes. Ainsi, plutôt que de se présenter à Dieu avec leurs mauvaises émotions et leurs mauvais sentiments, Scazzero croit que les croyants s'éloignent de Dieu tout en voulant s'en rapprocher: «En surface, tout semble aller pour le mieux, mais ce n'est pas le cas. Toutes ces heures passées à lire des ouvrages chrétiens les uns après les autres [...], toutes ces responsabilités à l'extérieur de la maison ou d'un séminaire à l'autre [...], tout ce temps passé dans la prière et dans l'étude de la Bible. Parfois, nous nous adonnons à ces activités chrétiennes sans nous rendre compte que nous tentons d'échapper à la douleur.»[12]

UN JUGEMENT EXERCÉ PAR L'USAGE

Biologiquement, nous sommes dotés de nerfs qui nous lancent des avertissements en nous faisant ressentir de la douleur. C'est ainsi que nous savons que nous avons marché sur un clou ou que nous avons attrapé une infection quelconque. De ce fait, il y a une vérité difficile à admettre: Dieu nous aurait conçus de façon à ce que nous puissions expérimenter de mauvaises émotions, il nous aurait dotés d'indicateurs de mauvaises pensées? «Pourquoi aurait-il fait une telle chose?» demanderez-vous.

Peut-être pourrions-nous aborder le problème de front et faire l'expérience de la guérison. Assurément, cela nous forcerait à repenser les émotions négatives que nous rencontrons. Au lieu d'essayer de nier leur existence ou de nous en éloigner le plus possible, nous gagnerions à les suivre afin de découvrir leur source, avec l'espoir que Dieu nous permettra de guérir.

Scazzero écrit à ce sujet:

> Plusieurs d'entre nous, chrétiens, croyons de tout cœur que la colère, la tristesse, la déprime et la peur sont des péchés à éviter, car ils indiquent quelque chose qui ne tourne pas rond dans notre vie spirituelle. La colère est dangereuse et froide à l'égard des autres. La tristesse indique un manque de foi envers les promesses divines. La déprime révèle assurément qu'on s'est écarté de la volonté de Dieu. Et la peur? La Bible est remplie de références au fait qu'il ne faut s'inquiéter de rien et ne pas avoir

peur (voir Philippiens 4:6 et Esaïe 41:10). Que faisons-nous alors? Nous tentons de nous emplir d'une fausse confiance afin de faire partir de telles émotions. Nous citons, prions et mémorisons les Écritures, tout afin de ne pas nous sentir accablés par ces émotions![13]

Nos émotions, soutient-il, subissent souvent l'impact de voix sinistres provenant de notre environnement immédiat et de notre passé. Celles-ci nous hantent avec des croyances négatives profondément ancrées en nous, ce qui nous mène à croire aux mensonges qui suivent:

- Je suis une erreur.
- Je suis un fardeau.
- Je suis stupide.
- Je ne vaux rien.
- Je dois obtenir l'approbation de mes proches pour me sentir à l'aise.
- Je n'ai pas le droit d'être heureux et d'avoir du plaisir.
- Je n'ai pas le droit de m'affirmer ou de dire ce que je pense et ressens.
- Je n'ai pas le droit de me sentir bien avec moi-même.[14]

Scazzero insiste sur le fait que nous ne devons pas enterrer ces émotions mais les aborder en présence de Dieu. Il dit que nous ne pouvons pas vraiment écouter les paroles de Dieu ou évaluer ce qui se passe dans nos vies si nous ignorons les mauvaises émotions. Nous devons en tenir compte, ne jamais les ignorer ou les supprimer.

Par exemple, vous savez que le message divin vous commande d'aimer votre prochain, mais il y a ce type que vous aimez détester... Vous refusez de nourrir ces émotions peu enviables, pas en les ignorant mais en composant avec elles. Vous demandez à Dieu de vous aider à comprendre pourquoi vous éprouvez une telle haine. Peut-être vous aidera-t-il à vous souvenir d'une personne qui vous a blessé il y a longtemps. Vous devez alors demander à Dieu de vous aider à pardonner, puis de vous aider à apprécier cette personne que vous tyrannisez. «Dieu prouve son amour envers nous, en ce que, lorsque nous étions encore des pécheurs, Christ est mort pour nous.»[15] Au début, ce sera à ce point difficile que vous aurez l'impression que c'est en train de vous tuer. Continuez de croire en l'aide de Dieu afin d'évoluer dans le pardon et de retravailler vos émotions. Éventuellement, vous éprouverez de l'amour pour cette personne. La Bible dit de cette réorientation de l'esprit qu'il s'agit d'un «jugement exercé par l'usage à discerner»[16].

LA DOULEUR EN CADEAU

Les émotions sont le baromètre de nos pensées. Les mauvaises émotions révèlent que de mauvaises pensées traversent notre esprit, alors que les bonnes émotions indiquent plutôt la présence de bonnes pensées. Selon la loi de l'attraction, nos pensées et nos émotions agissent comme des aimants. Ainsi, nous recherchons évidemment les bonnes pensées pour attirer vers nous de bonnes choses. Pour la même raison, sans tomber dans le déni, nous voulons éviter les mauvaises émotions.

Ceci étant dit, voici une bonne colle: devrions-nous être reconnaissant de nous sentir mal? Peut-être. Pourquoi? Parce que la douleur est un cadeau: elle nous indique l'endroit où se cache le bobo.

Quand je vais voir mon médecin pour soigner une infection, il me demande: «Ça fait mal où?» Une fois que je lui ai décrit mes symptômes, il pose un diagnostic et me présente ses recommandations. La douleur a alors été un cadeau, car elle a signalé le problème, qui a ensuite pu être résolu. La douleur n'était pas le problème. Elle a porté à mon attention la présence d'un problème.

UNE LÈPRE ÉMOTIVE

Le Dr Paul Brand est célèbre pour son travail contre la lèpre, une maladie dont personne n'aime parler. Si elle n'est pas traitée, la lèpre défigure ses victimes: leur nez se fane, ils perdent des doigts et des orteils, puis leurs pieds et leurs mains, et plusieurs d'entre eux deviennent aveugles. Dans son travail, le Dr Brand a découvert que ce n'était pas la maladie de la lèpre qui entraînait une telle détérioration de la condition humaine, du moins pas directement. C'est plutôt le fait que les malades ne ressentent aucune douleur. Il se trouve que la lèpre les détruit sans qu'ils s'en rendent compte. Les malades peuvent marcher sur des morceaux de verre et ils ne ressentent rien. Ils se brisent des orteils ou se déchirent la peau jusqu'à l'os sans le moindre élancement.

Tenez-vous bien, l'histoire qui suit n'a rien de très plaisant.

Un jour, le Dr Brand est arrivé dans une léproserie en Inde afin d'y faire un séjour en clinique. Sa visite était annoncée depuis un certain temps. Lorsque les administrateurs des lieux ont fait sonner la cloche pour obtenir l'attention de leurs patients, un bon nombre d'entre eux ont convergé vers la clinique.

Le Dr Brand a remarqué qu'un jeune patient tentait de distancer les autres et d'arriver le premier. Au départ, il se démenait dans la cour, utilisant ses béquilles et maintenant sa jambe gauche, enrubannée dans un bandage, bien au-dessus du sol. Tandis que d'autres patients commençaient à le rejoindre, il se mit à courir. Pendant que le Dr Brand observait la scène, le jeune homme prit ses béquilles sous ses bras et se lança dans la course. Son exploit accompli, il se tenait debout, haletant, s'appuyant sur ses béquilles, un sourire de triomphe accroché à son visage.

En regardant ce jeune homme courir aussi bizarrement, le Dr Brand savait que quelque chose n'allait pas. Il se rendit près de lui pour l'examiner et vit alors des bandages mouillés de sang ainsi qu'un pied gauche complètement écorché. L'homme avait couru sur une cheville disloquée et avait mis tant d'ardeur dans ses mouvements qu'il s'était retrouvé avec un tibia à l'air libre! La plaie vive était par ailleurs remplie de cailloux et de brindilles, qui s'y étaient agglutinés pendant la course. Le Dr Brand n'eut d'autre choix que d'amputer la jambe de cet homme en dessous du genou.[17]

D'accord, cette histoire est horrible, mais je devais la raconter pour une raison: pour vous démontrer que la douleur est un cadeau, même si personne n'en veut! Si nous évitons la douleur ou les émotions négatives, nous mettons tout en place pour nous enfermer dans une lèpre émotive, un état où les transformations personnelles sont exclues. Les mauvaises émotions peuvent vous révéler des choses étonnantes à propos de vos croyances et de la manière dont vous avez mal géré votre passé. Ces «secrets» peuvent vous aider à corriger des pensées négatives et vous permettre d'accéder à de nouveaux seuils de bonheur et de liberté. Ne passez donc pas votre vie à éviter les douleurs émotives. Vous ne feriez qu'empirer les choses.

Trouvez la source de vos émotions négatives et ramenez-les à Dieu. Demandez-lui ensuite de vous aider à comprendre ce que ces émotions essaient de vous dire et laissez-le vous guérir. C'est alors que la loi de l'attraction fonctionnera vraiment pour vous. J'aime beaucoup le travail qu'a fait Rhonda Byrne pour donner autant de publicité à la loi de l'attraction, mais la faire fonctionner n'est pas aussi facile qu'elle le prétend dans son livre. Une fois de plus, je me dois de rappeler qu'il y a plus encore à propos du Secret...

5

POURQUOI LES CHRÉTIENS SONT NERVEUX À PROPOS DU SECRET

Dans les cercles chrétiens, on n'a pas mis de temps à dénigrer la validité du livre de Rhonda Byrne. Certains ont dit qu'il s'agissait d'une rencontre entre le pouvoir de la pensée positive et la théologie populaire. D'autres ont banalisé l'affaire en affirmant que c'était une autre histoire mettant en vedette un gourou de la croissance personnelle, ce qui ne saurait ni être nouveau ni être un secret! D'astucieux théologiens et philosophes se sont empressés de signaler que cette plus récente version de la loi de l'attraction n'etait qu'un remaniement de ce qui existait déjà dans une version plus «savante»: un savoir secret réservé à une élite éclairée.

Je suis d'accord pour dire que la loi de l'attraction a quelques failles. J'ai même explicité certaines d'entre elles. Toutefois, se concentrer uniquement sur ces failles pourrait nous mener à exclure l'idée en totalité, ce qui, à mon avis, serait une grossière erreur. Bien sûr, on peut se noyer dans 10 cm d'eau, mais pourquoi se laisser abattre ainsi? Cela ne prend pas beaucoup d'énergie pour simplement relever la tête. Nous devons aborder les dangers propres à chaque philosophie, mais nous pouvons le faire sans plonger dans les problèmes au risque de se noyer. Cela aurait seulement pour effet de nous faire manquer des vérités vraiment utiles. Oui, les idées présentées dans *Le Secret* aident des gens, même ceux qui sont des croyants.

IL Y A TOUJOURS DES IMPERFECTIONS

On peut bien dire que rien dans ce bas monde n'a pas été touché par la corruption depuis la Chute. Nous ne devrions pas nous surprendre de rencontrer des contradictions ou des aspects insoutenables dans les idées que nous entendons. La majeure partie du Nouveau Testament a d'ailleurs été écrite afin d'aborder des inexactitudes dans la vie des premiers saints. Après avoir dirigé des activités pastorales pendant plus de 25 ans, j'ai moi-même remarqué que certaines persistent encore.

Saviez-vous que le Département de santé américain a publié un livret intitulé *The Food Defect Action Levels* (traduction libre: «Niveaux tolérables de contaminants dans l'alimentation»), dans lequel on répertorie les doses maximales acceptables de «contaminants provenant d'insectes, de rongeurs ou d'autres sources naturelles» dans les aliments préparés? Par exemple, on tolère que 225 grammes (8 onces ou 1/2 livre) de chocolat contienne jusqu'à 120 fragments d'insectes ou deux poils de rongeurs. Cela signifie donc que les autorités américaines acceptent que des consommateurs mangent une tablette de chocolat qui renfermerait un poil de rongeur et 16 miettes d'insectes!

Peut-être ne mangerez-vous jamais plus de chocolat après avoir lu cela. Pour ma part, je ne me laisse pas décourager. J'aime encore le chocolat. C'est même l'une de mes gâteries favorites. Son côté positif outrepasse les petits inconvénients que représentent les poils et les insectes.

C'est un peu la même chose en ce qui concerne mon évaluation des dernières interprétations de la loi de l'attraction. Il me vient des inquiétudes évidentes quand je lis *Le Secret* ou que je regarde le DVD qui en a été tiré. Toutefois, je sais aussi qu'il y a quelque chose de bon dans ce qui y est présenté, quelque chose de profondément encourageant et réconfortant. La notion que nous ne sommes pas victimes des circonstances, l'espoir que la vie peut être meilleure et que l'avenir nous sourit, l'idée que nos pensées et nos émotions sombres peuvent être remplacées par des bonnes, tout cela fait référence, pour moi, au Royaume de Dieu.

Toutefois, il y a certaines parties du Secret qui me semblent avoir été plus largement contaminés par les insectes et les poils de rongeurs. Mais à tout prendre, je crois que les avantages de ce «chocolat» surpassent nettement les inconvénients. Le dévoilement de la loi de l'attraction risque de produire beaucoup de bons résultats. Au lieu de balayer tout ça du revers de la main, l'Église devrait, à mon sens, reconnaître cette loi et utiliser son pouvoir inhérent. Ce dont nous avons besoin, c'est de devenir des experts dans la compréhension de cette pratique ancienne.

MES PARTIES FAVORITES

Il y a plusieurs notions importantes au sujet de la loi de l'attraction. Si l'Église voulait bien en tenir compte, cela pourrait faire avancer la cause du Christ dans le monde.

LE SCHÉMA

Il est ingénieux d'utiliser la loi de l'attraction pour expliquer l'importance de nos pensées et de nos émotions. Cela me fait dire que Dieu nous a donné des cadeaux qui peuvent changer la qualité de nos vies. Cela implique que nous soyons plus conscients de ce qui se passe entre nos deux oreilles. Cela suggère aussi que les gens n'ont pas à être des victimes. Et cela signifie que nous pouvons prévoir notre évolution et notre destination de façon à faire l'expérience de l'abondance et de la bonté que Dieu a mises dans ce monde.

J'aime l'idée que chacun de nous peut intentionnellement avoir de bonnes pensées, que notre imagination n'est pas altérée par le fait que nous sommes seulement ce que nous sommes. Nous pouvons choisir d'avoir des pensées de santé, de paix, de pardon et de relations solides. D'une façon ou d'une autre, ainsi, nos pensées se répandent (sont transmises), attrapent ces choses auxquelles nous pensons et nous rapportent le fruit de nos pensées.

La neuroscience a prouvé que les pensées émettent diverses fréquences magnétiques à partir du cortex cérébral, des fréquences qui peuvent être cartographiées à l'aide de techniques de pointe, comme l'imagerie par résonance magnétique. Affirmer que nos pensées ont des «fréquences», une interprétation moderne de la loi de l'attraction, est vérifiable en laboratoire. Toutefois, que ces fréquences soient transmises ou non dans l'univers afin d'attirer leurs semblables vers la personne qui les diffuse, cela relève de l'hypothèse. Aucune donnée scientifique ne le prouve à ce jour. Et alors? Je sais bien que cela aura l'air un peu farfelu ou «nouvelâgeux» pour certains, pourtant, il n'est pas rare que les nouvelles idées entraînent de telles réactions. Peut-être ne savons-nous pas exactement comment cela fonctionne, mais il y a là quelque chose qui marche. Et nous ne devrions pas avoir peur d'imaginer ce quelque chose de peur de marcher dans des territoires qui n'appartiennent qu'à Dieu (nous reviendrons d'ailleurs sur ce sujet un peu plus loin).

DES SAINTS NERVEUX

Je crois que nous, gens d'Église, sommes un peu trop nerveux en ce qui concerne la nouveauté. Nous l'avons toujours été. Souvenez-vous de Copernic, l'homme qui a soumis l'idée que le Soleil ne tourne pas autour de la Terre mais que c'est plutôt l'inverse. Ça semble banal aujourd'hui, mais ce savant a pourtant été ostracisé parce qu'il se plaçait en contradiction avec le dogme: pour l'Église, il n'y avait aucun doute que le Soleil était en orbite autour de la Terre. D'après ce dogme, la Terre se trouvait au centre de l'univers, et on avait même des versets de la Bible pour le prouver!

Copernic a rapidement été considéré comme un hérétique, parce que les chrétiens considéraient que ses travaux détruisaient des pans entiers de la foi en Dieu. C'était faux. La science et la foi n'ont pas à s'opposer l'une à l'autre. Ça peut nous prendre un certain temps pour faire le tri dans les nouvelles données scientifiques et pour situer leur convergence avec les paradigmes de la foi, mais la foi et la science trouvent toujours une façon de vivre en harmonie. Après tout, c'est Dieu qui les a créées toutes les deux. Par malheur, c'est souvent la chrétienté qui crée la confusion et qui s'énerve à propos des nouvelles théories.

Il n'y a pas si longtemps, les gens croyaient que la maladie était générée spontanément par Dieu (ou les dieux), les démons ou le péché. Au milieu du XIVe siècle, alors que la peste bubonique ravageait l'Europe, certains y voyaient une manifestation du Jugement dernier (à l'image de ces prêcheurs, à la fin des années 1980, qui affirmaient que le sida était la punition que Dieu avait infligée aux homosexuels).

Or, quand est apparue la théorie voulant que ce sont des germes microscopiques qui, en se reproduisant, causent la maladie (une découverte qui a eu lieu au milieu du XIXe siècle), une vive résistance s'est organisée. «Quoi? Ce ne sont pas des forces dirigées par Dieu mais des microorganismes qui provoquent la maladie?»

Au cours du XIXe siècle, bien des femmes, en Europe et aux États-Unis, mouraient lors de leur accouchement. Jusqu'à 25 % des femmes qui accouchaient dans les hôpitaux succombaient à une fièvre mystérieuse. À la fin de la décennie 1840, le Dr Ignaz Semmelweis, qui travaillait à la maternité d'un hôpital de Vienne, s'est aperçu que le taux de mortalité dans une salle d'accouchement dirigée par des étudiants en médecine était jusqu'à trois fois plus élevé que celui d'une autre salle, où travaillaient des sages-femmes. Fait à noter, les étudiants de la première salle arrivaient tout droit de... leur cours d'autopsie. Il se demanda alors si les étudiants pouvaient transporter des infections d'une salle de cours à une autre. Il ordonna donc que les médecins et le personnel médical se lavent les mains à l'aide d'une solution chlorée avant d'aller aider les femmes enceintes. C'était une idée totalement nouvelle à l'époque. Il en résulta une baisse spectaculaire du taux de mortalité, qui passa de 25 % à moins de 1 %!

En dépit de ces résultats remarquables, les collègues du Dr Semmelweis considérèrent cette découverte avec scepticisme. C'était beaucoup trop beau pour être vrai. Certains allaient jusqu'à croire que le fait d'essayer d'enrayer le problème de mortalité dans les salles d'accouchement était une intrusion dans un champ de compétence divine, le genre de chose qu'on devait laisser entre les mains de Dieu.

Le Dr Semmelweis obtint des résultats similaires dans d'autres cliniques de maternité, mais il dut se résigner à abandonner son combat. Lorsqu'il est décédé, en 1865, ses travaux étaient toujours ridiculisés. Pourquoi? Les humains ont tendance à ridiculiser toute nouvelle façon de penser, probablement parce que nous la percevons comme une menace. Le fait de prendre en considération de nouvelles idées prouve que nous faisions fausse route! C'est particulièrement vrai pour les gens qui évoluent dans l'Église: non seulement ils ont des opinions bien arrêtées, mais en plus la Bible vient les soutenir dans leurs convictions. Nous aimons «jurer par le ciel»[2].

ET SI C'ÉTAIT VRAI?

Le schéma de voûte tracé par les tenants du prétendu «secret» — à l'effet que mes pensées s'envolent dans l'univers, captent leurs semblables et les rapportent dans mon environnement — est séduisant. En même temps qu'il souligne le danger d'entretenir des pensées négatives, il porte un message d'espoir qui encourage les esprits ouverts et positifs. Ce schéma me pousse à avoir de bonnes pensées, à faire plus attention à mes émotions afin de m'assurer que je vais dans la bonne voie. Ce cadre m'aide à comprendre pourquoi la Bible insiste tant et si souvent sur la vie spirituelle des croyants: «Car il est comme les pensées de son âme.»[3]

Et je ne crois pas que cela enlève quoi que ce soit de divin dans nos vies. Dieu demeure celui qui a créé l'univers et qui procure le bonheur, la santé et tout ce que vous pouvez imaginer d'autre. Il est le Pourvoyeur, le Défenseur, le Guérisseur, l'Aide, le Donneur d'espoir. Ce secret nous donne simplement un meilleur accès à ce que Dieu a créé. Il ne remplace pas Dieu, pas plus que le fermier qui a appris comment fonctionne la loi des semences et des récoltes ne peut prendre la place du Créateur.

Ce schéma n'élimine pas Dieu (ni le diable). En fait, la loi de l'attraction pourrait être la preuve la plus évidente du fait que la Volonté de Dieu (ou le plan du diable) s'accomplit à travers nos vies. Lorsque nous comprenons le Secret, cela nous encourage à mieux organiser nos pensées et nos émotions!

SI C'ÉTAIT VRAI, JE L'AURAIS SU

Nous prétendons vivre selon les enseignements de la Bible et affirmons croire en Dieu. «Si cette loi était vraie, pourquoi nous, les chrétiens, aurions-nous besoin d'une personne qui ne fait pas référence aux Écritures (et qui n'est même pas membre de la chrétienté) pour nous en parler?» Bonne question. Peut-être ces quelques petites choses que j'ai écrites dans mon livre *Religiously Transmitted Diseases* (traduction libre: «Les maladies transmissibles religieusement») pourront éclairer les lanternes.

L'herméneutique est un système d'interprétation des textes bibliques. Elle nous aide à comprendre ce qui se produit autour de nous. Par exemple, dans les temps anciens, un phénomène naturel violent comme un tremblement de terre ou l'éruption d'un volcan était considéré comme l'expression de la vengeance des dieux. À cette époque, les gens croyaient, par leur interprétation de la vérité, que les dieux agissaient ainsi. Ainsi, chaque fois que se produisait un désastre naturel, les gens croyaient que quelqu'un avait tué un animal sacré ou commis un crime odieux qui avait engendré la colère des dieux. Le cataclysme servait à faire payer l'humanité pour tel ou tel acte immoral.

Aujourd'hui, nous savons que les désastres naturels sont causés par une série de phénomènes physiques. C'est notre herméneutique. Ce que les anciens considéraient comme la colère des dieux, nous, les modernes, y voyons plutôt le résultat logique de corrections d'origine naturelle. Il n'y a donc aucune vengeance là-dedans.

Des systèmes de pensées différents mènent à différentes interprétations.

L'herméneutique nous procure un cadre dans lequel nous pouvons traiter des données. Dans ma jeunesse, quand j'ai reçu ma première paire de lunettes, je me souviens d'avoir été émerveillé de me rendre compte combien elles m'aidaient à voir le monde sous un nouveau jour: j'étais habitué à voir la vie embrouillée et, soudain, j'apercevais tout plus clairement. L'herméneutique, c'est un peu comme des nouvelles lunettes.

Dans mon petit patelin du Wisconsin, je connaissais une dame qui croyait dur comme fer que les États-Unis n'avaient jamais envoyé d'hommes sur la Lune. Lorsqu'on lui faisait remarquer que des caméras avaient immortalisé la scène, elle répondait: «C'est du cinéma. Ils ont tout manigancé. C'était truqué, et une poignée de gens a fait fortune grâce à l'argent de nos taxes.» Ses «lunettes», son herméneutique, faisait en sorte qu'elle considérait l'événement comme un canular, comme le résultat d'une conspiration.

Les chrétiens oublient de reconnaître que nous considérons la Bible avec nos propres préjugés (notre herméneutique). Toutes sortes de choses nous influencent: nos expériences, nos parents, nos amis, les églises que nous avons fréquentées, les films, nos attentes, nos espoirs, nos échecs, Dieu, le diable, notre citoyenneté et nos émissions de télé préférées — tout cela modifie notre foi et notre façon d'interpréter le monde. Cela «colore» notre herméneutique.

TATOUAGES ET PIERCINGS

Disons que vous avez grandi en croyant que c'est mal de se faire faire des tatouages et des piercings. Peut-être que ce sont vos parents qui vous ont inculqué cette notion. Peut-être aussi avez-vous grandi dans un monde où les gens tatoués étaient tous des méchants motards ou des êtres défavorisés. Est-ce un préjugé? Bien sûr. Mais s'il s'agit de votre expérience, cela a un impact sur votre façon de voir les choses.

Peu importe la raison, nos opinions «innées» nous font aborder la Bible de façon sélective, certains passages nous sautant littéralement au visage tandis que d'autres nous laissent indifférents.

Parlant de tatouages et de piercings, vous ouvrez la Bible et vous tombez justement sur ce verset: «Vous ne ferez point d'incisions dans votre chair pour un mort, et vous n'imprimerez point de figures sur vous.» (Lévitique 19:28) Cette phrase semble s'être détachée des autres, comme si la voix de Dieu s'était fait entendre. «Il n'est pas étonnant que les tatouages nous troublent tant, raisonnons-nous. Dieu ressent la même chose!»

Toutefois, avec un tel raisonnement, nous occultons le verset précédent: «Vous ne couperez point en rond les coins de votre chevelure, et tu ne raseras point les coins de ta barbe.» (Lévitique 19:27) Si nous concluons que les tatouages et les piercings sont à proscrire, il faut aller au bout de notre raisonnement!

Pourquoi ne sommes-nous pas raisonnables à l'égard de tels passages? Parce que quelque chose en nous tend à mettre l'accent sur ces versets qui viennent conforter nos propres opinions et partis pris, tout en ignorant le reste. C'est une chose d'interpréter des passages de façon biaisée, mais c'en est une autre de piéger Dieu et de lui faire endosser nos propres interprétations — même si les gens font cela tous les jours.

Voilà pourquoi il est important de rester ouvert à la vérité qui vient de l'extérieur d'un contexte normal — comme une lecture désinvolte de la Bible. Ce n'est pas que la Bible n'aborde pas tout ce qu'il nous faut savoir — je crois au contraire qu'elle le fait. Toutefois, nous avons tendance à tout voir de façon sélective et, même si la vérité nous crève les yeux, nous ne la voyons pas toujours. Combien de fois, en lisant la Bible, vous êtes-vous dit: «Je n'avais jamais vu ça avant!» Parions qu'il y a encore beaucoup de choses que vous n'avez jamais vues. Restez ouvert.

LES ADORATEURS DU DIABLE PORTENT EUX AUSSI DES CHAUSSURES

Rester ouvert signifie que nous devons cesser d'avoir peur d'avoir des pensées qui débordent du cadre habituel. Nous devons faire preuve d'imagination pour comprendre comment les choses fonctionnent dans le monde de Dieu. Arrêtons de tomber dans le panneau de ces gens qui crient haut et fort que tout ce qui s'éloigne de notre façon de penser actuelle est associé au diable.

Bien des trésors du passé ont été perdus par l'Église simplement parce qu'ils nous paraissaient étranges, selon les critères en vigueur. Par exemple, la méditation était une pratique courante aux premiers temps de l'Église. Ce n'est que tout récemment que des leaders chrétiens ont lancé des avertissements à cet effet. L'argument principal était que des adeptes d'autres religions font de la méditation. J'ai entendu des prêcheurs lancer avec fougue: «Même les adorateurs de Satan en font!»

Sur les bancs d'église, le fidèle «moyen» qui entend ces mots ressent alors une certaine panique. Et toute nouvelle pensée est ainsi réprimée. Il se trouve que l'Église a sa propre version du maccarthysme: il est assez facile pour elle de viser des idées et de créer une telle atmosphère de suspicion que les fidèles en viennent à évacuer toute forme de pensée critique. Ils se mettent à croire ce qu'on leur dit sans pousser plus loin l'analyse.

Toutefois, ce genre d'argument n'a aucun sens. Toute personne, qu'elle croie en Dieu ou au diable, mange et dort. Pourquoi n'arrêtons-nous pas de manger ou de dormir si même les adorateurs du diable le font? Ceux-ci portent aussi des vêtements et échangent une poignée de main lorsqu'ils veulent saluer une autre personne. Devons-nous pour autant abandonner ces pratiques?

Dois-je évoquer la richesse et le pouvoir des gens qui sèment de telles peurs dans le seul but de garder leurs ouailles bien serviles et attentives?

ALORS...

Ce n'est pas parce qu'une idée est nouvelle qu'elle est fausse. Cela ne signifie pas non plus que tout ce qu'on en dit est vrai. Nous ne devrions jamais manquer d'esprit critique à propos de la vérité, mais nous devons aussi mettre de l'eau dans notre vin, sinon nous risquons de passer à côté de messages importants.

Ceci étant dit, abordons maintenant un autre aspect qui fait le bonheur des interprètes modernes de la loi de l'attraction — quelque chose dont les évangélistes d'aujourd'hui ont habituellement assez peur — c'est-à-dire la visualisation.

Attachez vos ceintures. Il y a encore quelques notions dérangeantes à prendre en considération...

6

COMMENT LES CHRÉTIENS DEVRAIENT UTILISER LA LOI DE L'ATTRACTION

À titre d'information, je ne crois pas que notre but dans la vie devrait se limiter à amasser le plus de richesses et à devenir le plus célèbre possible. À mon avis, une simple lecture des Écritures révèle qu'une vie passée à obtenir tout ce que vous voulez est une vie assez banale. Lisez par exemple l'Ecclésiaste, ou encore l'histoire de la Tentation dans le désert. On lui a offert «tous les royaumes du monde et leur gloire»[1], et il déclina. À quoi a-t-il pensé? En tant qu'apprenti de Jésus-Christ, j'ai décidé de chercher la réponse à cette question.

Quand on aborde le sujet de la loi de l'attraction, très peu de lectures traitent de la possibilité de l'utiliser à des fins altruistes, pour le bien des autres. Au contraire, l'information vise plutôt à en retirer des bénéfices personnels, comme la forme physique, la fortune et la célébrité. La plupart du temps, on vous fait miroiter de belles promesses, comme celles-ci:

- Vous découvrirez le secret pour obtenir tout ce que vous voulez dans la vie, et vous saurez exactement comment l'obtenir.
- Votre confiance en vous et votre estime de vous-même monteront en flèche.
- Vous découvrirez la clé de la tranquillité d'esprit, vous vous libérerez de la peur, du doute et de l'inquiétude.
- Vous serez heureux et épanoui.
- Vous pourrez choisir ce que vous voulez, quelle qu'en soit la quantité ou l'importance.
- Vous découvrirez la recette de l'autonomie personnelle et financière.
- Vous comprendrez enfin pourquoi tout a l'air de si bien marcher pour certaines personnes, alors que d'autres semblent toujours à la traîne.
- Vous deviendrez le maître de votre destinée et apprendrez comment créer l'avenir que vous désirez et méritez.

- Vous pourrez résoudre vos problèmes financiers et avoir tout l'argent que vous souhaitez.
- Vous apprendrez comment vous créer des «rêves sur commande» et ainsi bâtir votre avenir.
- Vous découvrirez le secret pour avoir sans cesse de l'énergie et de l'enthousiasme afin d'entreprendre chacune de vos journées.
- Vous vous libérerez de vos croyances limitatives et des obstacles qui vous empêchaient d'obtenir ce que vous vouliez dans la vie.
- Vous pourrez avoir, faire et être absolument tout ce que vous voulez dans la vie.
- Vous vous sentirez comme une nouvelle personne. Vous vivrez chaque jour dans la joie et l'excitation, sachant que plein de bonnes choses se produiront encore dans votre vie.

Relevant de croyances «nouvelâgeuses», ces ressources vous promettent de vous montrer à utiliser la loi de l'attraction (prendre le contrôle de ses pensées, gérer ses émotions, faire de la visualisation, etc.) afin que vous vous construisiez une petite vie parfaite. On vous enseigne à remplacer des images mentales qui ne vous rendent plus service, à vous départir de vos vieilles habitudes et à déverrouiller l'incroyable pouvoir en vous pour avancer dans votre vie (ce qui veut dire que vous apprendrez comment penser à vous-même constamment en termes de richesse et de succès). On vous dit d'avoir des pensées et de ressentir des émotions qui vous aideront à créer la vie que vous voulez vraiment et que vous méritez.

Les gens sont encouragés à prendre le temps de faire une description écrite et détaillée de ce qu'ils se souhaitent dans chacune des sphères d'activité de leur vie. On leur demande aussi de découper des images de ce qu'ils aimeraient posséder — des voitures, des maisons, des entreprises, etc. Armés de ces nouvelles images mentales, les gens doivent ensuite passer quelques minutes chaque jour à imaginer, par la visualisation, qu'ils possèdent déjà ces choses. Ils doivent chercher à ressentir les mêmes émotions que si leurs rêves devenaient réalité à cet instant. Ils doivent éprouver un sentiment de gratitude et de l'excitation dans le temps présent. Ceci, leur dit-on, est la meilleure façon d'exercer le pouvoir derrière la loi de l'attraction. Voilà comment on peut avoir, être et faire n'importe quoi, sans limite.

Dans ces ouvrages, on vous assure que vous serez capable d'avoir tout le succès, le bonheur, l'accomplissement et l'abondance que vous voulez. Tout cela rapidement, parfois même avec une garantie de remboursement si ça ne fonctionne pas.

Il n'y a cependant rien dans ces documents populaires d'aussi menaçant et radical que ces paroles de Jésus: «Celui qui ne prend pas sa croix, et ne me suit pas, n'est pas digne de moi. Celui qui conservera sa vie la perdra, et celui qui perdra sa vie à cause de moi la retrouvera.»[2]

IL Y A UNE MEILLEURE FAÇON DE FAIRE

On a fait appel à la loi de l'attraction pour attiser tant de désirs qu'elle a irrité bien des gens, avec raison. Les Écritures ne font pas la promotion de l'égoïsme, et les croyants ne sont pas appelés à jouer un rôle de consommateur boulimique. En fait, le bon sens veut que l'autogratification constitue une perte de temps précieux et soit contraire à notre mission sur Terre.

À ce sujet, les Écritures rapportent plusieurs récits intéressants. «Tout ce que mes yeux avaient désiré, je ne les en ai point privés; je n'ai refusé à mon cœur aucune joie», disait Salomon, avant de conclure ainsi: «Tout est vanité et poursuite du vent, et il n'y a aucun avantage à tirer de ce qu'on fait sous le soleil.»[3]

Les Écritures racontent aussi l'histoire d'Abraham et de Sarah, des gens très riches qui n'avaient cependant jamais cherché à obtenir davantage. Plutôt que de construire de grandes maisons ou d'énormes châteaux (comme ceux d'Égypte et de Babylone, avec lesquels ils étaient familiers), ils avaient choisi de vivre en toute simplicité, errant çà et là dans des tentes (probablement de très belles, ce qui n'enlève rien au fait qu'il s'agissait de tentes). Selon les Écritures, ils ont fait cela à dessein, parce qu'ils ont compris «qu'ils étaient étrangers et voyageurs sur la terre»[4].

Abraham et Sarah voyaient la terre comme une terre étrangère. Ils ne pensaient pas que quelque chose en ces lieux valait la peine qu'ils s'y engagent. «Mais maintenant ils en désirent une meilleure, c'est-à-dire une céleste, poursuivent les Écritures. C'est pourquoi Dieu n'a pas honte d'être appelé leur Dieu, car il leur a préparé une cité.»[5]

David a demandé à Dieu de le prémunir contre ces gens qui aiment trop ce monde: «Délivre-moi des hommes par ta main, Éternel, des hommes de ce monde! Leur part est dans la vie.»[6]

L'apôtre Jean a quant à lui lancé cet avertissement: «N'aimez point le monde, ni les choses qui sont dans le monde. Si quelqu'un aime le monde, l'amour du Père n'est point en lui; car tout ce qui est dans le monde, la convoitise de la chair, la convoitise des yeux, et l'orgueil de la vie, ne vient point du Père, mais vient du monde. Et le monde passe, et sa convoitise aussi; mais celui qui fait la volonté de Dieu demeure éternellement.»[7]

Puis, il y a Moïse, une célébrité au cœur de la glorieuse Égypte, l'endroit le plus branché de l'époque. Il a toutefois tout abandonné, comme le rappellent les Écritures: «C'est par la foi que Moïse, devenu grand, refusa d'être appelé fils de la fille de Pharaon, aimant mieux être maltraité avec le peuple de Dieu que d'avoir pour un temps la jouissance du péché, regardant l'opprobre de Christ comme une richesse plus grande que les trésors de l'Égypte, car il avait les yeux fixés sur la rémunération. C'est par la foi qu'il quitta l'Égypte, sans être effrayé de la colère du roi; car il se montra ferme, comme voyant celui qui est invisible.»[8]

Enfin, il y a Jésus lui-même, qui affirma être «venu, non pour être servi, mais pour servir et donner sa vie comme la rançon de plusieurs»[9]. Son objectif visait les autres, pas sa propre personne. Pour vulgariser, Jésus statuait ainsi qu'une vie passée pour accumuler des choses était une vie perdue.

UNE LOI DEMEURE UNE LOI

La loi de l'attraction est certes utilisée honteusement pour de l'autogratification; elle n'est pas inutile pour autant. Elle fonctionne toujours, que vous la compreniez et que vous soyez d'accord avec elle ou non. J'apprécie que les gens d'Église se soient opposés aux facettes négatives de la loi de l'attraction telle qu'elle est décrite dans les ouvrages récents. Mais je crois que nous devons reconsidérer nos positions. En effet, ignorer la loi de l'attraction serait de mauvais augure. Souvenez-vous que Dieu est l'auteur de toutes les lois de l'univers.

Nous devons nous rappeler l'importance de nos pensées et de nos émotions, ainsi que l'incroyable pouvoir de la visualisation. Je crois aussi que les chrétiens ont besoin de la loi de l'attraction pour faire avancer la cause divine dans le monde.

Nous vivons dans une culture qui a oublié les valeurs expliquant l'utilité de chaque chose (ce qu'on appelle l'utilitarisme). Les croyants doivent surmonter cela. Nous devons avoir des buts qui vont au-delà de la satisfaction immédiate. C'est clair que la loi de l'attraction fonctionne si vous désirez obtenir quelque chose; c'est bien trop évident pour ne pas en tenir compte. Mais je pense que les croyants ont besoin d'apprendre à recourir à cette loi pour combler des désirs plus grands que leur propre personne. Nous devrions utiliser la loi de l'attraction afin de voir à l'application de la volonté de Dieu et afin de poursuivre notre quête pour panser les blessures du monde.

UNE MEILLEURE VOIE

La chrétienté doit avoir envie d'un monde meilleur. Nous disons non aux utilisations égoïstes de la loi de l'attraction, mais notre non n'est pas une fin de non-recevoir. Il implique un oui à quelque chose de plus grand. Nous acceptons d'employer cette loi pour répandre l'amour là où il n'y en a pas dans le monde. Nous ne sommes pas nombrilistes, car nos vies sont ancrées dans des valeurs plus grandes que nos besoins et nos désirs individuels.

Cela ne signifie pas que vous ne pouvez jamais utiliser la loi de l'attraction pour obtenir quelque chose pour vous-même. Vous pouvez le faire. Toutefois, j'aimerais vous inviter à toujours vous poser une question avant de procéder: «Pourquoi?» Voulez-vous quelque chose simplement pour faire pâlir d'envie vos voisins? Voulez-vous accumuler des choses parce que vous croyez être ce que vous possédez? Est-ce une question d'estime de soi? Voulez-vous plus afin de vivre dans l'aisance matérielle? Utilisez-vous la loi de l'attraction pour avoir ce dont vous avez besoin afin de changer le monde pour Dieu?

Il n'y a rien de mauvais dans les choses, et Dieu est notre Pourvoyeur[10]. Mais il y a mieux que des nouvelles voitures, des résidences près d'un lac et des gros bateaux. Le pape Jean-Paul II l'a bien exprimé: «Ce n'est pas mal de vouloir vivre mieux; ce qui est mal, c'est un style de vie présumé meilleur parce qu'il est basé sur l'avoir plutôt que sur l'être, c'est un style de vie qui désire davantage de biens non pas pour se sentir plus grand mais pour jouir de la vie, comme si c'était une fin en soi.»[11]

La maîtrise de soi-même et le discernement permettent de développer son habileté à s'accrocher aux pensées, émotions et visualisations positives nécessaires pour remplir une mission qui va au-delà de l'autogratification. Nous devons transformer l'énergie que nous avons consacrée à l'accumulation de biens afin de devenir des gardiens de l'espoir pour ceux qui n'en ont pas.

QU'EST-CE QUE LE POUVOIR DE LA VISUALISATION?

La visualisation est, à la base, une pratique consistant à garder des images mentales de choses que l'on désire posséder ou d'expériences que l'on souhaite vivre. Le fait de visualiser ces choses permet à la loi de l'attraction de passer à la vitesse supérieure. Vu comment fonctionne cette loi (ce qui circule dans l'esprit humain attire vers la personne l'objet de ses désirs), cela crée effectivement une nouvelle réalité autour de la personne qui se donne la peine de visualiser. En quelque sorte, nos pensées, nos émotions et notre imagination donnent une forme concrète et de la substance à notre avenir.

C'est ici que les écrits récents sur la loi de l'attraction tombent dans un consumérisme primaire. «Imaginez cette nouvelle voiture. Voyez-vous à la tête de cette entreprise. Envisagez cette maison d'un million de dollars.» Vos enseignants vous diront: «La loi de l'attraction vous procure tout ce que vous voulez. Elle fonctionne toujours, chaque fois, pour n'importe qui.» Ils parlent constamment du fait d'accumuler toujours plus de biens pour cet être exceptionnel que vous êtes. À cause du caractère unidirectionnel de ce bavardage, je ressens toujours le même arrière-goût acide quand je lis ce genre de choses.

Toutefois, la visualisation demeure l'une des plus puissantes façons d'organiser vos pensées et vos émotions afin de suivre le sentier qui vous mènera vers un avenir bien à vous. Et croyez-le ou non, les Écritures contiennent de multiples références à la visualisation.

LA VISUALISATION DANS LA BIBLE

Prenez la tour de Babel, construite dans un esprit d'humanité et d'entraide: «Bâtissons-nous une ville [...] et faisons-nous un nom, afin que nous ne soyons pas dispersés sur la face de toute la terre.» Remarquez ce que Dieu a dit au sujet de ces gens: «Maintenant rien ne les empêcherait de faire tout ce qu'ils auraient projeté.»[12] Dieu a dit cela à propos des êtres humains! Décidément, la visualisation est très puissante.

Puis il y eut Jacob et le miracle de provision. L'histoire, racontée dans la Genèse, est trop longue pour être présentée ici. En résumé, Jacob alla travailler avec son oncle Laban. En guise de salaire, il devait recevoir des chèvres et des moutons. Jacob accepta de garder comme paiement seulement les animaux nés avec des marques spécifiques: «Mets à part parmi les brebis tout agneau tacheté et marqueté et tout agneau noir, et parmi les chèvres tout ce qui est marqueté et tacheté.»

Laban était rusé. Il enleva du troupeau de Jacob tous les agneaux tachetés et marquetés, tous les agneaux noirs et toutes les chèvres marquetées et tachetées. Pour ceux et celles qui n'ont pas de connaissances particulières en génétique, cela signifie qu'il devenait impossible pour Jacob d'être payé. Laban avait prélevé du troupeau tous les animaux génétiquement prédisposés à être colorés.

Comment réagit Jacob? Bien que je sois certain qu'il ne savait vraiment pas ce qu'il faisait, il utilisa le pouvoir de la visualisation. Les Écritures disent: «Jacob prit des branches vertes de peuplier, d'amandier et de platane; il y pela des bandes blanches, mettant à nu le blanc qui était sur les branches.»[13] Il plaça ces branches pelées à des endroits stratégiques, permettant aux animaux de s'accoupler. «Les brebis entraient en chaleur près des branches, et elles faisaient des petits rayés, tachetés et marquetés.» L'impossible se matérialisa à travers la visualisation: «Je levai les yeux, et je vis en songe que les boucs qui couvraient les brebis étaient rayés, tachetés et marquetés.»[14]

Dans les Actes 2, Dieu promet de répandre son Esprit saint dans le monde. Il dit alors: «Vos jeunes gens auront des visions, [...] vos vieillards auront des songes»[15]. C'est donc dire que le Saint-Esprit utilise la visualisation comme canal de communication avec les humains. Ainsi, nous serions fous d'entrer dans la sphère des pensées, des émotions et des visualisations sans nous laisser guider par le Saint-Esprit. Grâce à la sagesse de la Parole de Dieu, la visualisation ne saurait être du domaine du diable.

Certes, je me suis senti très mal à l'aise avec cette idée d'arriver à quelque résultat que ce soit en se concentrant sur des images mentales. Il y a toutefois une part de vérité là-dedans. Et si nous voulons faire tout en notre pouvoir pour promouvoir la cause divine, nous devons rassembler tous les moyens à notre disposition à cette fin. Les chrétiens devraient de ce fait être des experts dans l'utilisation de ce qu'on appelle le Secret.

Lorsque le prophète Esaïe parle au nom de Dieu, il déclare: «Ne pensez plus aux événements passés et ne considérez plus ce qui est ancien. Voici, je vais faire une chose nouvelle, sur le point d'arriver: Ne la connaîtrez-vous pas? Je mettrai un chemin dans le désert. Et des fleuves dans la solitude.»[16] Dieu a toujours voulu que son peuple perçoive et connaisse ce qu'il s'apprête à faire. C'est la visualisation. En fait, toutes les promesses divines sont des invitations: nous sommes invités à les percevoir et à les visualiser.

LE LIVRE DE L'IMAGINATION

Réfléchissons à ce qui se produirait si nous considérions toutes les promesses de Dieu comme des invitations à imaginer ce qui pourrait être. Plutôt que de découper des images de BMW ou de résidences d'un million de dollars, nous pourrions tapisser notre esprit de propositions pour un monde meilleur: «Car la terre sera remplie de la connaissance de la gloire de l'Éternel comme le fond de la mer par les eaux qui le couvrent.»[17] Des images d'un monde où les croyants sont «le sel de la terre» et «la lumière du monde»[18]. Ainsi, nous rendons la vie plus savoureuse, notre présence élimine la bêtise et disperse la noirceur. Imaginez un monde où les croyants luttent intrépidement contre le mal et font sans relâche face à l'oppression; un monde où l'Église promeut constamment sa liberté pour maintenir la justice dans notre communauté et entre les nations; un monde où les croyants se voient (à l'image de Jésus, notre Sauveur) comme ceux qui sont venus non pas pour être servis mais pour servir. Et en marchant dans les pas de Jésus, nous avons la sagesse, la patience et le courage de subvenir aux besoins de ceux qui souffrent, des mal-aimés et des nécessiteux. Imaginez cela.

Imaginez ce qui se produirait si nous utilisions le pouvoir de la visualisation et la loi de l'attraction de la même façon que nous accédons à Dieu via la prière. C'est peut-être ce à quoi Jésus faisait référence quand il disait: «Tout ce que vous demanderez en priant, croyez que vous l'avez reçu, et vous le verrez s'accomplir.»[19]

Cela signifie que nous pouvons demander à Dieu de nous aider à imaginer la paix dans le monde. Nous pourrions lui demander de «faire naître dans chaque cœur le véritable amour de la paix» et de «guider avec [sa] sagesse ceux qui représentent les nations de la terre»[20]. Imaginez cela.

Imaginez un monde libéré de la faim et des préjugés; un monde où nous pouvons voir l'accomplissement de la promesse de Dieu: «Je répandrai de mon Esprit sur toute chair.»[21] Imaginez les nations entrer dans un renouveau mondial et l'accomplissement de la promesse inscrite dans les Psaumes:

«Demande-moi et je te donnerai les nations pour héritage, les extrémités de la terre pour possession.»[22] Que se passerait-il si nous demandions cela et imaginions une réponse?

Paul ne blaguait peut-être pas quand il déclarait que Dieu «peut faire, par la puissance qui agit en nous, infiniment au delà de tout ce que nous demandons ou pensons»[23]. Qu'est-ce que ce serait si nous osions imaginer plus encore? Et si nous prenions les pensées de Dieu — ses promesses et son espoir pour le monde — dans notre esprit et ouvrions notre âme à l'Esprit saint afin d'y laisser la marque divine (l'amour, la joie, la paix, la patience, la gentillesse, la bonté, la loyauté, la douceur et le contrôle de soi)? Imaginez cela.

Et si Dieu nous avait donné les prophéties bibliques non pas pour attendre qu'elles se produisent mais comme des extraits de l'avenir qu'il aimerait voir se développer? Et s'il nous avait donné ces bribes d'information afin que nous puissions cultiver une vision de ce que l'avenir pourrait être? La Bible annonce que le jour viendra où la résidence de Dieu sera avec les êtres humains. «Il habitera avec eux, et ils seront son peuple, et Dieu lui-même sera avec eux.» Voici maintenant sa promesse: «Il essuiera toute larme de leurs yeux, et la mort ne sera plus, et il n'y aura plus ni deuil, ni cri, ni douleur, car les premières choses auront disparu.»[24]

Pourquoi ne pourrions-nous pas imaginer un monde où Dieu habiterait avec nous et où la tristesse et les larmes n'existeraient plus? Que se passerait-il si nous imprimions cette vision dans nos esprits? La loi de l'attraction ferait-elle en sorte que ce monde deviendrait réalité? Les théologiens nous disent qu'il existe une «tension eschatologique» dans le Royaume de Dieu: en un sens, le Royaume de Dieu est ici, mais pas tout à fait si on prend un autre angle. Jésus nous a dit que «le royaume de Dieu est proche»[25], et donc qu'il arrivera dans un avenir prochain, quelque part entre maintenant et plus tard. Apparemment, les croyants ont quelque chose avec cela. Jésus nous ayant demandé de prier le Père en ce sens: «Que ton règne vienne; que ta volonté soit faite sur la terre comme au ciel.»[26]

Toutefois, nous savons que nous ne connaîtrons le Royaume que lorsque Jésus sera de retour parmi nous. Néanmoins, dans une certaine mesure, le

Royaume est déjà parmi nous. Il se manifeste par endroits, comme des points de lumière dans un regard. Et si nous utilisions la loi de l'attraction et notre foi pour que ces éclats se déploient, ici et maintenant?

Si nous pensons ainsi, lorsque nous rencontrerons les larmes, les lamentations et les souffrances si présentes dans ce monde en perdition, nous les aborderons avec l'espoir que nous procurera cette vision d'éternité. N'est-ce pas ce à quoi le sacerdoce devrait servir?

Peut-être est-ce à cela que l'auteur du livre des Hébreux faisait référence lorsqu'il a écrit que les croyants pourraient participer aux «puissances du siècle à venir»[27]. C'est avec ces pensées en tête que *Le livre de la prière commune* (*The Book of Common Prayer*) nous invite à prier: «Donnez-nous la paix et l'harmonie de cette cité céleste.»[28]

Les promesses divines ne se produiront pas comme par magie. La Bible est claire là-dessus. Il n'est pas question que nous restions assis et que nous attendions que le divin transforme le monde; nous ne devons pas être paresseux. Au contraire, on nous enjoint à faire «en sorte que vous ne vous relâchiez point, et que vous imitiez ceux qui, par la foi et la persévérance, héritent des promesses»[29].

Je suggère que nous utilisions le pouvoir de la visualisation et la loi de l'attraction à la gloire de Dieu et pour promouvoir son Royaume, pas seulement pour obtenir une meilleure santé, plus d'argent, du succès, de l'accomplissement et du bonheur personnel. Il y a plus! Oubliez cette loi si vous ne visez que la consommation à outrance. Tous ensemble, employons ces moyens pour que le Règne arrive.

7

LA LOI DE L'ATTRACTION ET L'ARGENT

Il est important que nous parlions d'argent. Bien que, comme croyants, nous devrions éviter de détourner ces concepts à des fins personnelles, nous avons besoin de la loi de l'attraction afin de sécuriser nos réserves financières. Si nous vivions constamment dans des conditions précaires (criblés de dettes ou incapables de procurer des biens essentiels à notre famille), nous dépenserions la plupart de nos énergies et de nos ressources à survivre, ce qui n'aiderait personne! Jésus a dit: «Il y a plus de bonheur à donner qu'à recevoir.»[1] Bien que cette affirmation soit vraie pour plusieurs raisons, elle l'est surtout parce que vous avez besoin de ressources si vous voulez en donner.

L'ARGENT N'EST PAS LE MAL

Bien des gens riches mentionnés çà et là dans la Bible ont remercié Dieu pour leur richesse. L'un d'eux, Abraham, a dit ceci à quelqu'un qui essayait de lui donner une récompense: «Je ne prendrai rien de tout ce qui est à toi, pas même un fil, ni un cordon de soulier, afin que tu ne dises pas: "J'ai enrichi Abraham."»[2] Il savait que sa richesse était le résultat d'une bénédiction divine. Mais comme nous l'avons laissé entendre, Abraham ne pensait pas non plus que sa richesse était pour lui seul.

À Salomon, le plus riche roi de l'histoire d'Israël, Dieu a dit: «Puisque [...] tu ne demandes pour toi ni une longue vie, ni les richesses, ni la mort de tes ennemis, et que tu demandes de l'intelligence pour exercer la justice, [je te donnerai] ce que tu n'as pas demandé, des richesses et de la gloire, de telle sorte qu'il n'y aura pendant toute ta vie aucun roi qui soit ton pareil.»[3] Cet homme empilait l'argent dans les rues tant la quantité d'or en sa possession était immense. Quand Israël achetait des biens d'autres nations, il payait en argent, mais il exigeait de l'or pour ses propres ventes. Plus tard, Jésus prit Salomon comme modèle lorsqu'il parlait du Père, qui voyait à répondre aux besoins de ses fidèles.[4] Dieu a fait la richesse et ne nous en veut pas d'en posséder, tant que ce n'est pas la raison d'être de notre existence.

Nous pourrions évoquer Job, le Bill Gates de son époque! Et puis il y eut de riches femmes qui appuyèrent Jésus dans son ministère[5]. Jésus avait une telle habitude de faire cadeau de son argent qu'il était même responsable de nourrir les familles de ses apôtres (12 familles!). Lorsque Judas l'a trahi, ses disciples ne s'en sont donc pas fait outre mesure: «Quelques-uns pensaient que, comme Judas avait la bourse, Jésus voulait lui dire: "Achète ce dont nous avons besoin pour la fête", ou qu'il lui commandait de donner quelque chose aux pauvres.»[6] Jésus avait accès à la richesse, mais il a conservé un mode de vie simple afin de pouvoir aider plus de gens que seulement lui-même.

La richesse n'est pas le problème. Nos attitudes, croyances et approches envers la richesse peuvent toutefois être problématiques. Pour le croyant, acquérir de la richesse n'est jamais la priorité, mais ça a de l'importance. Paul a dit que le croyant «travaille en faisant de ses mains ce qui est bien»[7]. Par contre, la raison pour laquelle il doit le faire diffère complètement de celle d'une personne qui n'a pas la foi. Pour le croyant, la motivation pour accumuler des richesses devrait être d'«avoir de quoi donner à celui qui est dans le besoin»[8]. Assurément, cela inclut notre famille, mais pas seulement notre famille. L'abondance doit pouvoir nous permettre de répondre aux besoins d'autres personnes dans le monde.

PENSER LE MANQUE

On n'a pas besoin de s'enfoncer profondément dans l'étude des Écritures pour se rendre compte que Dieu aime que sa création soit somptueuse. Le jardin d'Éden était un lieu d'abondance. Il y avait de la nourriture et d'autres ressources naturelles en grande quantité: «L'or de ce pays est pur.»[9] Dans l'Apocalypse, on décrit par ailleurs la rue principale où sera érigée notre maison dans l'avenir: «La place de la ville était d'or pur, comme du verre transparent.»[10]

Dieu apprécie l'or. Il aime les belles choses. Il est le créateur de ce monde physique et de toute sa richesse. «Dieu vit tout ce qu'il avait fait et voici, cela était très bon.»[11] Bien que nous ne devions pas faire une priorité des possessions matérielles, Dieu a bel et bien conçu ce monde pour offrir des biens et de l'abondance à tous! Il y a suffisamment de ressources sur cette planète pour satisfaire les besoins physiques de toute personne de toute nation. La pauvreté, l'itinérance et la privation n'ont aucun sens sur Terre.

Mais l'axiome fondamental de l'économie dans un monde en perdition, c'est qu'il y a toujours eu et qu'il y aura toujours un manque quelque part, parce que nous exigeons toujours davantage. La matière que nous utilisions hier est épuisée. Et il devient plus difficile de trouver ce dont nous avons besoin.

La sagesse nous rappelle qu'à mesure que la population et l'économie progressent, les ressources s'épuisent peu à peu jusqu'à ce qu'on atteigne les limites physiques de la planète. Ça semble une affirmation raisonnable. Après tout, si les ressources se raréfient, il tombe sous le sens que la demande augmente et que ça nous rapproche d'autant plus du jour où il n'y en aura plus du tout.

LES PROPHÈTES DE MALHEUR

Des avertissements au sujet de catastrophes imminentes ont toujours plané au-dessus de nos têtes. Ces signaux ont toutefois augmenté de façon exponentielle durant la seconde moitié du XXe siècle. L'explosion de la population dans les pays en développement, jumelée à la croissance exceptionnelle de l'économie mondiale depuis les années 1950, ont amené les prophètes de malheur à augmenter l'ardeur et la fréquence de leurs interventions. On nous a dit que l'humanité vivait sur du temps emprunté. Les gens de ma génération se souviennent que la crise du pétrole et l'inflation des années 1970 ont donné de la crédibilité à ces prophètes. Des best-sellers internationaux, dont *The Population Bomb*, de Paul Ehrlich, et le *Global 2000 Report* de l'administration Carter, entre autres, ont convaincu des millions de personnes que la civilisation telle que nous la connaissons était sur le point de s'effondrer.

PEUT-ÊTRE DIEU N'A-T-IL PAS ÉTÉ INFORMÉ

Ce que la plupart d'entre nous ne réalisons pas, c'est que tout ce discours au sujet du manque est un affront à la nature, à l'omniscience et au pouvoir créateur de Dieu. «Dieu les bénit, et Dieu leur dit: Soyez féconds, multipliez, remplissez la terre», raconte la Genèse[12]. Dieu n'a fait aucun avertissement au sujet du contrôle de la population, il n'a jamais fait allusion à une quelconque tension subie par les ressources de la planète à cause de la croissance économique.

Le concept de manque prend sa source dans la crainte de lendemains difficiles. Or, pour s'assurer de pourvoir aux besoins de demain, Dieu s'en occupe dès aujourd'hui. Il ne nous a jamais demandé de faire des réserves. Lorsqu'il a mené son peuple dans le désert, il s'est assuré que chacun avait assez de pain à manger chaque jour. Certains, croyant qu'ils n'en auraient pas suffisamment, ont tout de même décidé de faire des provisions. À cause de cela, comme le rappellent les Écritures, «il s'y mit des vers, et cela devint infect»[13].

Dieu n'est pas intéressé à éliminer l'anxiété que nous ressentons lorsque nous remarquons que nos provisions s'envolent. Nous ne voulons pas être à la solde des saisons. Nous ne voulons pas non plus comprendre comment fonctionnent la loi de l'attraction ni celle des semences et des récoltes. Nous préférons simplement avoir un entrepôt rempli à ras bord de tout ce dont nous pourrions avoir besoin, peu importe le moment où le manque se fait sentir.

Et nous ne voulons certainement pas partager ce que nous possédons. En fait, le fait de penser le manque protège notre nature égoïste (s'il y a des ressources en quantité limitée, c'est normal que je ne veuille pas les partager). Si les ressources étaient illimitées, il n'y aurait aucune raison de ne pas les partager puisqu'il y en aurait assez pour tout le monde. Nous partagerions ce que nous aurions de la même façon que nous serions mieux engagés dans le processus visant à situer et à cueillir les ressources de ce monde si généreux. Enseigner aux autres à le faire ne serait pas plus menaçant pour nous. Peut-être l'appel de Dieu pour que nous partagions s'inscrit dans l'idée qu'il y a bien assez de ressources pour cela. Nous n'avons qu'à rester consciencieux dans l'utilisation des lois qu'il nous a données, des lois qui mènent à l'abondance.

Je crois d'ailleurs que Dieu aime bien nous voir jongler avec cette insécurité à propos de demain.

Jésus dit à ses fidèles: «Ne vous inquiétez donc point, et ne dites pas: Que mangerons-nous? que boirons-nous? de quoi serons-nous vêtus?»[14]

Poursuivant sur cette lancée, il ajoute: «Ne vous inquiétez donc pas du lendemain; car le lendemain aura soin de lui-même.»[15] Dieu souhaite que les humains transposent cette insécurité en foi, et non qu'ils éliminent cette insécurité en faisant des provisions.

Toutefois, la foi ne se résume pas à croire que Dieu peut faire des miracles financiers pour vous et moi. Il en fait, certes, mais je crois que la foi consiste à croire que Dieu est assez bon et assez grand pour voir aux besoins de chaque personne sur Terre. Dieu est bienveillant. C'est pourquoi il a établi des lois, comme la loi des semences et des récoltes, la loi de l'attraction, la loi des saisons, etc. Il veut que nous découvrions et utilisions ces lois naturelles pour produire toute l'abondance dont l'humanité pourrait avoir besoin.

Dieu n'est pas fou. Il ne nous aurait pas demandé de peupler la Terre sans d'abord s'assurer qu'il y avait assez de ressources pour répondre aux besoins de toute la population. Je ne dis pas qu'il n'a aucune éthique environnementale. En fait, nous devons voir à la régénération des ressources naturelles, comme nos forêts. Nous devons aussi garder notre air et nos rivières propres, et ainsi de suite. Cependant, il reste encore bien des ressources sur cette planète qui n'ont pas été utilisées. L'un des noms hébreux de Dieu est El Shaddai, ce que plusieurs théologiens traduisent par «le Dieu qui en fait plus qu'assez». Peut-être en fait-il effectivement plus qu'il n'en faut.

Nous devons comprendre que lorsque le manque se manifeste, il y a toujours quelque chose d'autre ailleurs. Ça peut être difficile de le voir parfois, et ça peut prendre un peu d'ingéniosité (et des prières) pour le trouver, mais nous devons croire que les ressources existent toujours. Notre foi en Dieu exige que nous y croyions. Et par expérience, on sait que c'est vrai.

PLUS QU'IL N'EN FAUT

Quand on jette un coup d'œil aux ressources de la Terre, on en vient à une étonnante conclusion: bien que les prophètes de malheur continuent d'agiter le spectre de l'épuisement des ressources, l'économie globale est le témoin de la plus grande explosion d'abondance dans l'histoire de l'humanité. S'il y a de véritables limites aux ressources matérielles et énergétiques, il semble toutefois que les quantités disponibles sont bien plus grandes que ce que l'humain avait cru au départ, à tel point que les limites deviennent inexistantes.

«La fin des stocks de pétrole est comme l'horizon, elle baisse toujours quand on s'en approche»[16], explique Morris Adelman, professeur au Massachusetts Institute of Technology (MIT) et un des plus grands experts en énergie en Amérique. Il en donne pour preuve le fait que le monde recèle à ce jour dix fois plus de réserves de pétrole connues par rapport à 1950, et près du double de ce qu'on avait découvert en 1970.

Mais voici quelque chose de plus intéressant encore: il y a 200 ans, le pétrole n'était qu'un liquide huileux inutile qui faisait baisser la valeur des propriétés où on en trouvait. Ce n'est que plus tard qu'on a découvert comment transformer ce liquide en une ressource qui devait améliorer la qualité de vie des gens. Les Écritures affirment que c'est Dieu qui a promis de donner aux humains «la science de la réflexion»[17] et qu'à travers l'histoire de l'humanité, «la connaissance augmentera»[18]. Est-il possible que le Dieu qui nous a demandé de peupler la Terre savait inspirer des connaissances et des inventions à des moments stratégiques afin de soutenir la mission qu'il nous avait confiée?

Qui savait que le sable serait la ressource première de l'industrie de l'informatique et des télécommunications? C'est pourtant à partir de sable qu'on peut produire des puces électroniques et de la fibre optique. Le sable, peu exploité auparavant, est devenu la matière première d'une révolution électronique. Quelle autre ressource inexplorée ou inexploitée améliorera et enrichira nos vies sur cette Terre? Quelle autre surprise Dieu garde-t-il dans sa manche pour nous montrer sa bonté et remplir nos cœurs de joie[19]?

La technologie nucléaire nous assure de l'énergie, au taux de consommation actuel, pour les 8 400 prochaines années environ[20]. Si nous poursuivons les recherches et les percées technologiques en matière de fusion nucléaire, cela nous garantirait de vastes réserves d'énergie pour des dizaines de milliers d'années. Et si les recherches prouvaient que l'on doit cesser d'utiliser le nucléaire, il nous resterait les énergies géothermique et solaire: avec une meilleure technologie, plus compétitive économiquement, ces procédés produiraient des ressources virtuellement inépuisables d'énergie.

Le monde n'est pas un endroit où règne le manque. Et s'il y avait assez de provisions pour tenir le coup jusqu'au retour du Christ? Et s'il y en avait plus que ce qu'il n'en faut pour tout le monde? Cela pourrait nous encourager à combattre des drames comme celui de la pauvreté d'une manière plus tenace. Cela rendrait aussi les amis, les entreprises, les communautés et les nations un peu moins prompts à se battre pour protéger leurs ressources.

Peut-être que notre problème n'est pas le manque mais plutôt notre réticence à croire (nous préférons faire des provisions plutôt que de croire). Et peut-être que nous éprouvons des réticences à croire parce que nous ne voulons pas avoir à trouver ce fameux «plus» dont Dieu nous promet l'existence ici même. Peut-être alors est-ce un problème de paresse. Et comme nous ne voulons pas partager ce que nous avons, peut-être est-ce aussi un problème d'avidité. Il y a bien des «peut-être» à considérer...

UTILISER LA LOI DE L'ATTRACTION POUR ASSURER L'ABONDANCE

Dieu est bienveillant. Il est bon, de telle sorte qu'il nous procure assez de ressources pour assurer le bonheur de chaque humain sur cette planète. Mais comment devons-nous exploiter cette abondance? «Cherchez premièrement le royaume et la justice de Dieu»[21], a dit Jésus, ce qui signifie que nous devons d'abord respecter les règles et l'intérêt divin. Il nous est aussi demandé de chercher à comprendre comment Dieu a établi les choses pour les faire fonctionner dans ce monde.

Comme pour la loi des semences et des récoltes, cela répond à une certaine mécanique. Lorsque la Bible parle d'agriculture, elle présente Dieu comme le seul responsable des moissons et des fruits de la terre[22]. Malgré cela, aucun fermier ne reste assis pour regarder la télé en espérant que Dieu lui apportera des moissons miraculeuses de blé, de maïs, d'orge ou d'autres céréales afin de remplir ses silos. Les fermiers se préparent pour la bonne saison. Ils travaillent la terre, ils sèment les graines et cherchent des façons d'améliorer leur entreprise. Ils se renseignent au sujet de la fertilisation, de la gestion des mauvaises herbes, des semences plus productives...

Quand les fermiers et les experts en biotechnologie agroalimentaire ont découvert comment créer de nouvelles semences plus productives, personne ne s'est demandé s'ils violaient un champ de compétence divin. Nous croyons que Dieu est celui qui donne l'intelligence aux humains pour travailler avec le système qu'il a mis en place.

QUI EST BÉNI?

Un jour que je parcourais les routes rurales du Wisconsin il y a plusieurs années, une très grande ferme, très bien entretenue, a attiré mon attention. Il faut dire que le Wisconsin est reconnu pour ses fermes familiales: vous en rencontrez une tous les 3 km environ. Celle-ci était impressionnante: des champs magnifiques, des clôtures de bois peintes en blanc, un bâtiment principal et des dépendances qui sautaient aux yeux (une belle vache avait même été peinte sur la porte de la grange principale) et des animaux qui paraissaient propres et en santé.

Poursuivant ma route, j'aperçus une seconde ferme qui offrait tout un contraste par rapport à la précédente. C'était un endroit complètement désolé. Les champs avaient l'air d'avoir été dévorés par les chèvres, des barbelés qui ressemblaient aux sourcils d'un homme de 90 ans étaient fixés sur tous les poteaux de la clôture, le porche de la maison penchait un peu vers le sud et la porte de la grange ne fermait plus (on ne l'avait pas repeinte non plus depuis fort longtemps). Pour leur part, les animaux étaient petits et souillés de fumier.

Il ne fallait pas analyser la situation très longtemps pour en arriver à une conclusion. Je suis sûr que certains auraient dit du fermier à la ferme impeccable qu'il bénéficiait de la bénédiction de Dieu. Cette bénédiction ne s'était peut-être pas rendue quelques kilomètres plus loin, chez le fermier dont on pouvait constater la misère. Chacun se doute bien cependant qu'il y a plus à propos de cette histoire. Dieu bénit les gens, mais il bénit aussi leurs efforts. Le fermier béni avait mis de côté son «assurance divine» et était allé travailler. L'autre s'était laissé aller, sachant que, de toute façon, il aurait des récoltes. Si les deux fermiers avaient échangé leurs fermes, il ne se serait pas écoulé beaucoup de temps avant que l'apparence des entreprises en fasse autant.

DES MIRACLES DE DEUXIÈME ORDRE

C'est facile pour Dieu de réaliser des miracles de provision (rappelez-vous Jésus nourrissant 5 000 personnes avec un panier de pains et quelques morceaux de poisson[23]). Ce n'en est pas moins un miracle de provision quand, en voulant obtenir le bien que Dieu a placé dans ce monde, vous récoltez des bénédictions par l'utilisation de la loi des semences et des récoltes, de la loi de l'attraction et de la «loi de la transpiration».

Imaginez que vous avez deux garçons, Robert et Jonathan. Un bon matin, les voici qui vous demandent de l'argent pour se procurer de nouveaux vélos. Vous ne voulez pas leur donner tout simplement l'argent (un miracle parental?), mais vous profitez de l'occasion pour leur apprendre comment devenir plus que de simples «preneurs». Vous établissez donc un système. Comme vous vivez près de champs remplis de fleurs sauvages, vous dites aux garçons que vous leur donnerez un dollar pour chaque bouquet de fleurs qu'ils ramasseront.

Les deux sautent sur l'occasion, mais Robert abandonne Jonathan dans le champ avant midi. Jonathan, travaillant avec autant d'ardeur qu'il le peut, est couvert de sueur. Une heure plus tard, Robert revient en compagnie de huit de ses amis, à qui il a promis 50 cents pour chaque bouquet de fleurs qu'ils ramasseraient. À la fin de la journée, sans transpirer, Robert a amassé assez de fleurs pour se payer son vélo, tandis que Jonathan, même s'il a travaillé beaucoup plus fort, n'a atteint que la moitié de son objectif.

Robert sourit, parce qu'il a appris à manœuvrer à travers le système établi. Jonathan vient vous voir afin que vous lui donniez plus d'argent pour chaque bouquet de fleurs. Il veut un traitement spécial parce qu'il a travaillé plus fort que son frère. Vous devez prendre une décision.

Je ne sais pas ce qu'il en est pour vous, mais je préférerais m'en référer au système mis en place par Dieu plutôt que de lui demander directement de m'accorder un «miracle financier». À mon avis, exiger un tel arrangement me paraît quelque peu irresponsable, comme si un travailleur en santé et expérimenté se contentait de vivre grâce à des tickets alimentaires. Je crois que nous rendons mieux gloire à Dieu quand nous croyons et participons au système de provision qu'il a mis en place (comme la loi de l'attraction), plutôt qu'en faisant des appels désespérés: «Joignez le Tout-Puissant: composez le 1 976-MIRACLE.»

Mais peut-être que c'est juste moi qui voit les choses ainsi...

8

UN SOMBRE «SECRET»

La loi de l'attraction ou, si vous préférez, le Secret, devient un sombre secret quand il sert seulement les désirs d'un individu. Lorsque vous vivez pour vous-même, le monde devient un lieu pour «prendre», un terrain de compétition, un endroit pour un vainqueur qui domine les autres, un environnement où seuls les plus forts survivent. Dans ce genre de monde, les sondages, la jeunesse et la beauté ont de l'importance, alors que la pauvreté, la faiblesse, la vieillesse, le handicap et tout ce qui obtient moins qu'une note parfaite est abandonné et oublié.

Être un fidèle du Christ constitue un défi pour l'égoïsme. Le christianisme commence avec une humilité de l'esprit et avec un don de soi. Notre but n'est pas de vivre riche, de grappiller tout ce que nous pouvons pour nous-mêmes. Notre but consiste à faire confiance à la part de divin en nous alors que nous consacrons notre vie au bien des autres, en particulier ceux qui sont moins chanceux que nous.

Vivre pour les autres nous fait participer à un plan divin de reddition et d'obéissance. D'accord, ça peut sembler effrayant dit comme ça, surtout qu'on a l'impression que le fait de suivre le chemin tracé par Dieu nous enlève notre liberté. Pourtant, tout ce qu'on perd, c'est la liberté qui ne vise que nous-mêmes. Plutôt que de nous sentir restreints dans notre liberté, cette façon de vivre nous ouvre, à notre grande surprise et pour notre plus grand bonheur, à de tout nouveaux niveaux de liberté. C'est l'accomplissement dont Jésus parlait: «Celui qui conservera sa vie la perdra, et celui qui perdra sa vie à cause de moi la retrouvera.»[2]

Donner sa vie pour le Royaume de Dieu est certainement une forme d'abandon. C'est un engagement envers une vie plus grande que soi-même. C'est le choix, de plein gré, d'une vie décentrée de soi-même, car Dieu devient le centre d'attention. Mais n'allez pas croire que cela détruit l'autonomie de la personne. Au contraire, ça la préserve et la transforme à un niveau où l'on rencontre Dieu, apprend à aimer et expérimente le véritable accomplissement.

DUR LENDEMAIN POUR LES HÉDONISTES

La plupart des gens qui partagent notre culture n'ont aucune idée de ce que signifie le concept de reddition et d'obéissance. C'est que notre société en est une d'hédonistes. L'hédonisme est une doctrine qui prône la recherche constante du plaisir et du bonheur. Cela ne veut pas dire que le plaisir est mal en soi; le problème c'est plutôt quand le plaisir devient notre seul et unique objectif de vie.

Notre culture n'est certes pas ouverte à quelque chose d'aussi repoussant que la reddition et l'obéissance. Nous croyons que le monde existe pour satisfaire notre propre liberté, que nous devrions pouvoir faire tout ce que nous voulons, exactement quand nous le voulons. Le laxisme et le relativisme moral sont les seules règles qui ont cours au pays de l'hédonisme.

L'idée d'abandonner sa propre volonté pour le bien d'une autre personne est considérée comme l'abandon, ridicule, de sa propre liberté. Ne touchez pas à cela! Personne ne rigole en Amérique avec la liberté! C'est peut-être la seule véritable sacro-sainte valeur dans notre culture. Mais l'hédonisme aussi pose problème. En vérité, cette liberté personnelle entraîne à terme un manque d'ambition et un sentiment d'infériorité. L'aliénation et l'anxiété sont toujours le fruit d'une liberté égoïste.

LA VÉRITÉ, ET RIEN QUE LA VÉRITÉ

Lorsque vous consacrez votre vie au plaisir, il est difficile, dans tous les domaines, de voir la vérité en face. Vous ne voulez entendre que ce qui fait votre affaire, et quiconque tente de vous dire le contraire est perçu comme votre ennemi, un empêcheur de tourner en rond. Ne vous méprenez pas sur mes propos: je crois qu'il y a un temps pour apporter un soutien indéfectible aux autres, sans les critiquer. Lorsque nos enfants sont tout petits, ils nous apportent leurs chefs-d'œuvre. En toute honnêteté, ce n'est pas toujours très beau; après tout, un enfant de six ans n'a pas encore développé tous ses talents d'artiste. Néanmoins, ces œuvres sont de véritables trésors à nos yeux. Nous jubilons, louangeons l'enfant et gardons précieusement ces objets bien en évidence. Ces réalisations sont précieuses parce qu'elles sont le résultat du travail d'un enfant tout aussi précieux. À ce moment, un soutien moral non critique est capital pour le développement de l'enfant et pour son estime personnelle.

Toutefois, alors que nos enfants grandissent, nous commençons à être un peu plus honnête. Est-ce facile d'agir ainsi? Non, bien sûr. Toutefois, l'honnêteté est capitale pour le développement normal de l'être humain; cela nous empêche de tomber dans l'univers du fantasme. Lorsque les gens que vous aimez vous parlent honnêtement et vous disent que vous n'êtes pas aussi bon que vous le prétendez, trois choix s'offrent à vous:

1. Vous travaillez plus fort pour devenir ce que vous voulez être, pour exceller dans ce que vous voulez faire. (N'attendez pas des louanges si votre travail n'en mérite pas.) «Si vous avez

fait des projets en rêvassant, vous n'avez peut-être pas perdu complètement votre temps. Par contre, maintenant, mettez dessous des fondations solides», a écrit Henry David Thoreau. Il faut travailler pour réaliser ses rêves, pas seulement rêver, sinon on vit dans le fantasme. Et le fantasme n'est pas la réalité.

2. Vous demandez aux gens que vous respectez de vous donner un avis des plus sincères. Si les gens qui vous connaissent ne vous encouragent pas à poursuivre dans votre voie, vous reconsidérez vos forces et partez dans une nouvelle direction. Recevoir des commentaires honnêtes peut sembler cruel, mais ça ne l'est pas. Voyez cela comme une façon de mesurer le réalisme de vos idées.

3. Vous rejetez les évaluations des autres. Vous vous accrochez à votre rêve jusqu'à ce que la réalité vous rattrape.

QU'EST-IL ARRIVÉ AU TRAVAIL?

Une autre faille importante dans l'interprétation que Rhonda Byrne et son équipe ont faite de la loi de l'attraction réside dans l'absence de toute remarque au sujet de la nécessité de travailler sérieusement, à la sueur de son front. En lisant *Le Secret*, on a l'impression de pouvoir tout obtenir en se limitant à trois actions très simples: penser, avoir des émotions positives et rêver. Dès lors, tout vient à vous comme par magie! Je crois à la puissance du rêve, des pensées et des émotions. Mais la loi de l'attraction, c'est beaucoup plus que le fait de s'asseoir et de rêver. On doit agir aussi! Cela signifie que l'on doit accomplir des tâches difficiles et fastidieuses, comme persévérer à l'école ou se refuser certains plaisirs parce qu'on a des factures à payer. Et que dire de la patience, de la détermination, de la persévérance, du courage, de l'intrépidité, de la constance et de la loyauté? Ces choses ne se remplacent pas par la transmission dans l'univers de pensées et d'émotions qui attireront tous les bienfaits du monde simplement parce qu'on croit les mériter. Qu'est-il arrivé à la notion de travail?

Qui voudrait travailler si l'univers pouvait le faire à sa place? Jouer à des jeux vidéo et regarder la télé 24 heures par jour est bien plus amusant qu'un cours du soir! Pourquoi travailler fort afin d'obtenir les compétences nécessaires pour que votre carrière évolue si tout ce que vous devez faire pour y arriver se résume à découper des images de nouvelles voitures et de maisons d'un million de dollars, à imaginer que vous les possédez déjà et à cueillir la richesse de façon paresseusement? «Penser et s'enrichir», voilà qui est beaucoup plus simple à promouvoir que penser, faire, épargner, planifier, restreindre les dépenses, s'engager dans une formation continue, travailler à la sueur de son front et s'enrichir. Mais pourquoi devrait-on faire tout cela si ce bienveillant cosmos n'attend qu'une chose, c'est-à-dire répondre à nos désirs?

L'ennui, avec cette idée qu'on peut s'asseoir et rêver pour réussir, c'est qu'elle ne fonctionne qu'avec des gens qui écrivent des livres et réalisent des DVD pour dire aux autres qu'ils peuvent réussir en restant assis et en rêvant. Et lorsque nous achetons ces livres et ces DVD, cela prouve aux auteurs que la technique qui consiste à rester assis et à rêver fonctionne vraiment, du moins pour eux. Les autres doivent travailler.

UNE CULTURE À LA «AMERICAN IDOL»

La frontière entre le fantasme et la réalité est toujours floue dans un monde qui voit seulement à la promotion du plaisir individuel. Présenter la loi de l'attraction sans tenir compte de cela me paraît irresponsable philosophiquement. La populaire série de téléréalité *American Idol* constitue un exemple frappant de notre incapacité à séparer le fantasme de la réalité. Il s'agit en fait d'un concours où le gagnant se voit offrir la chance de lancer sa carrière solo dans le monde de la chanson.

Au cours d'une saison, un participant originaire de Minneapolis voulait devenir la prochaine idole des Américains, avec tout ce que cela comporte de gloire et de célébrité. Cependant, les juges ont mis fin à son rêve en l'éliminant de la compétition. C'est alors que le jeune homme s'est mis à tempêter dans les coulisses. Pleurant à chaudes larmes, il lança un ou deux jurons à l'endroit d'un juge en particulier. Devant les caméras, il s'exclama: «J'ai déjà 16 ans et je voulais réussir.»

Il voulait réussir, pas travailler pour parvenir à la réussite! (Voilà tout le sens de l'hédonisme.) Il ne pouvait certes pas comprendre pourquoi les juges osaient mettre fin à son rêve. Comment ces satanés juges pouvaient-ils ériger une barricade sur le chemin de son succès? N'avait-il pas le droit de réussir?

En vérité bien des gens se croient tout permis. Il y a un nombre croissant de gens qui croient avoir le droit de faire tout ce qu'ils veulent. Ils ne croient pas devoir travailler pour atteindre le bonheur mais pensent plutôt que le bonheur est un droit acquis. Bien sûr, le bonheur n'est pas lié à des choses aussi banales qu'un bon emploi, une vie simple et un mariage heureux. Ces garçons et ces filles veulent tout cela: ils et elles veulent être riches et célèbres, ils et elles veulent être vénérés de belle façon!

C'est triste à dire, mais ce culte de type «American Idol» explique en grande partie l'extraordinaire succès de Rhonda Byrne avec *Le Secret*. Pourquoi? Quelle corde sensible a-t-elle fait vibrer pour engendrer une telle réaction? L'hédonisme. En effet, *Le Secret* renferme bel et bien tous les ingrédients du succès. Présentée à une culture dédiée à l'assouvissement des plaisirs individuels, la loi de l'attraction y est décrite comme la clé pour obtenir tout ce que vous voulez, quand vous le voulez. Qui plus est, ce «secret» a aussi été expliqué dans un DVD de 90 minutes facile à consulter. Disons-le: pour profiter du «secret», vous n'avez aucun effort à faire; vous n'avez même pas besoin de lire un livre!

À PROPOS DE L'ÉTHIQUE

Un autre faux pas de Rhonda Byrne et de son équipe a été de ne jamais aborder la notion de l'éthique. L'éthique est pourtant le principe qui nous permet de déterminer si nous, comme individus dans une société, faisons bien ou mal les choses. La question ici, c'est: «Qui décide?» Les hédonistes soutiendront toujours que ce qui est bon pour les uns ne l'est pas nécessairement pour les autres. Ils se battront pour affirmer le principe que chacun doit décider de ce qui est bon ou non pour lui-même. Le jugement ne doit certes pas être porté par une autorité extérieure, et surtout pas par Dieu!

D'un autre côté, la théologie soutient que Dieu est le créateur de l'éthique. En tant que Créateur, il est celui qui, au bout du compte, décidera de ce qui est bon et ce qui est mauvais, départagera les motifs valables de ceux qui ne le sont pas. Les Écritures disent que nous pouvons faire confiance à Dieu en cette matière, car son jugement n'est pas influencé par l'ego ou le plaisir mais bien par sa nature, son amour[3]. Ainsi, Dieu ne prend jamais de décisions arbitraires. Il n'insiste jamais pour dire que telle chose est juste et telle autre, mauvaise, pour le simple plaisir de rappeler qu'il est Dieu. Autrement dit, il ne départage pas le bon du mauvais à cause d'une quelconque impulsion à diriger le monde. Son jugement sert sa nature; il demande uniquement ce que commande l'amour. Dieu n'est pas égoïste; on peut lui faire confiance.

En créant les humains, Dieu souhaitait que nous soyons à son image[4]. Il a donc conféré aux êtres humains le pouvoir de choisir ce qu'ils apprécient. Que voulait-il que nous fassions avec ce pouvoir? Devions-nous commencer à décider de façon arbitraire, c'est-à-dire nous mettre à décider ce qui est bon ou mauvais en nous basant sur ce que nous pensons être bon ou mauvais? L'humain n'est-il pas plutôt influencé par quelque chose d'autre, quelque chose de plus grand que les émotions ou les caprices de sa propre personne?

Dans l'une des églises où j'ai officié, il y avait un jeune garçon turbulent qui aimait rôder dans les environs et parfois déclencher l'alarme d'incendie dans le couloir. Il fallut plusieurs interventions des pompiers avant qu'on attrape finalement le petit chenapan. Il croyait pouvoir tirer l'alarme simplement parce que c'était possible de le faire. Il ne comprenait pas que l'alarme avait une utilité spécifique, soit celle d'avertir les gens et les autorités en cas d'incendie. Cette histoire se transpose bien à notre capacité de choisir. Nous ne devrions pas choisir quelque chose parce que nous y avons accès; notre capacité à choisir doit être motivée par quelque chose de plus grand, soit l'amour de Dieu.

C'est le grand théologien Augustin (qui a vécu au IVe siècle) qui fut le premier à statuer que la chute de l'homme se trouvait dans sa capacité à choisir. Il soutenait que Dieu a donné aux humains de la «volonté» afin que nous puissions accepter ce qu'il désignerait comme le bien et ce qu'il désignerait comme le mal. Avant la chute racontée dans la Genèse (Genèse 3), Adam et Ève trouvaient leur salut en Dieu: c'est lui qui leur disait ce qui était bien et ce qui ne l'était pas. Ils obéissaient, tout simplement.

Augustin affirmait que le péché originel a fait plier la volonté humaine. Ainsi, l'humain se mettait à faire des choses bien qu'il n'ait pas été conçu pour les faire. Il cessait de se conformer aux décisions de Dieu et commençait à départager le bien et le mal par lui-même, sans l'intervention de l'amour divin. Augustin soutenait que la tentation du serpent consistait à faire croire à Adam et Ève qu'ils ne devraient jamais obéir à personne d'autre qu'à eux-mêmes, que la distinction entre le bien et le mal devrait se trouver en eux. En conséquence, la décision de manger le fruit défendu constituait vraiment le choix d'une vie où ce seraient les humains — et plus jamais Dieu et son amour — qui distingueraient le bien du mal. L'obéissance à Dieu ne fut dès lors plus à l'ordre du jour, la vérité et le mensonge devenant ce que les humains décideraient.

Depuis la chute, la volonté ne correspond à rien qui ne soit pas à l'intérieur de soi. C'est devenu une force en soi. Lorsque la volonté humaine fut séparée du divin, elle fut libre de vouloir tout ce qu'elle souhaitait. L'égoïsme était né. Dès lors, le problème pour l'âme humaine n'est pas l'ignorance du mal ni notre désir des choses interdites; le problème réside dans le fait que nous décidons maintenant ce qui est bien ou mal. Le ver a fait son chemin jusqu'au cœur de la pomme, au cœur de la condition humaine.

VIDES ÉTHIQUES

Dès l'instant où les humains peuvent faire leurs choix à partir de leur propre perception du bien et du mal, nous entrons dans un vide éthique. En fait, le bien et le mal n'existent pas de façon unilatérale. C'est la naissance du relativisme moral, une position où il n'y a aucune morale ni aucune éthique absolue, universellement vraie. Tout est relatif. Ce sont des circonstances sociales, culturelles ou personnelles qui déterminent ce qui est bien ou mal.

La préférence pour les règles individuelles prime dans un monde où règne le relativisme moral. Qui, dans un tel monde, pourrait s'inquiéter de ce que les autres pensent ou croient? Ces garçons et ces filles soutiennent qu'il n'y a pas de bonne ou de mauvaise voie. «Fais ce que tu veux» est leur credo. (À titre d'information, c'est aussi ce genre de bêtise intellectuelle qui motive les dictateurs.)

En vérité, nos choix ont un impact non seulement sur nous mais sur d'autres personnes. Nier cela, c'est refuser de voir le mal que nos choix peuvent causer aux autres. Et le plus triste, c'est de voir que plusieurs agissent ainsi sans la moindre trace de culpabilité, parce qu'ils ne remarquent même pas la douleur qu'ils infligent aux autres, trop centrés qu'ils sont sur eux-mêmes. Donner la priorité à ses propres besoins, désirs et tâches finit par rendre la personne insensible aux besoins des autres. Dans ce cas, elle joint les rangs des handicapés éthiques (et si elle y croit assez fermement, l'univers pourrait bien lui aménager un petit coin bien à elle).

BRUCE LE TOUT-PUISSANT

Dans la comédie *Bruce Almighty*, Bruce Nolan (interprété par Jim Carrey) est un reporter à la télévision de Buffalo. À la fin d'une journée particulièrement éprouvante, Bruce se fâche contre Dieu parce qu'il juge que celui-ci fait un bien mauvais usage de son pouvoir de contrôler tout ce qui se passe dans le monde. Dieu (joué par Morgan Freeman) répond en prenant forme humaine devant Bruce et en lui conférant des pouvoirs divins. Il met ensuite Bruce au défi de faire mieux que lui.

Au départ, Bruce utilise ses nouveaux pouvoirs à ses fins. Entre autres, il approche la Lune de la Terre, uniquement pour créer une atmosphère romantique pour séduire sa copine. Après tout, comment un geste motivé par l'amour pourrait-il être mal? Bruce n'est cependant pas conscient du fait que sa décision entraîne des mouvements de marée catastrophiques. Le lendemain matin, Bruce ne voit même pas les reportages couvrant le désastre qui s'est produit la veille sur les côtes, où les marées ont détruit des maisons et fait un nombre incalculable de victimes.

Le Secret devient un sombre secret quand il engendre une culture à la «Bruce le tout-puissant», qui utilise son pouvoir uniquement à des fins personnelles, peu importe ce que de tels désirs peuvent apporter comme malheurs aux gens autour de lui. Si vous ne réalisez pas qu'il y a plus dans la loi de l'attraction que le simple fait de pouvoir obtenir ce que vous voulez, quand vous le voulez, vous êtes réduit à vivre dans un monde de fantasme et de manipulation. Le concept s'assombrit, n'est-ce pas?

FANTASME ET MANIPULATION 101

Vous comprenez que la loi de l'attraction vous apportera tout ce que vous voulez. Et une chose que vous voulez depuis longtemps, c'est un nouveau canapé. Ainsi, vous faites appel à la loi de l'attraction: vous commencez à penser à votre canapé, vous ressentez le plaisir d'en posséder un, vous tournez les pages de magazines afin de trouver celui qui vous conviendra le mieux, vous tombez dessus dans un catalogue ouvert devant vous — n'est-ce pas là la première preuve que la loi de l'attraction fonctionne? — et vous découpez l'image afin de la placer bien en évidence sur votre réfrigérateur. Vous êtes dès lors convaincu que la loi de l'attraction est déjà en train de l'attirer vers vous.

Puis, vous découvrez que plus vous pensez à ce canapé, plus vous le désirez. Le désir est à son comble; vous ne pouvez plus vous changer les idées. Vous vous dites que la loi de l'attraction vous frappe de plein fouet; peut-être même qu'elle se venge un peu! Alors, par magie, une nouvelle carte de crédit vous est offerte dans votre courrier, et la limite proposée couvrirait justement les frais d'un nouveau canapé. Vous savez que les moyens financiers de votre famille sont limités, mais ce n'est qu'un détail à côté du miracle dont vous êtes témoin. Vous êtes certain que la loi de l'attraction a répondu à vos pensées, émotions et exercices de visualisation et vous a apporté cette nouvelle carte de crédit. Vous pouvez donc vous procurer ce canapé. Vous devriez en parler à votre conjoint, mais un doute vous assaille: il ou elle n'est peut-être pas ouvert au Secret, il ou elle n'est peut-être pas ouvert à ce genre de chose.

Bien sûr, ce serait risqué d'ajouter une autre facture de carte de crédit à la liste des paiements mensuels mais, comme la loi de l'attraction vous a obtenu ce nouveau canapé, elle trouvera sûrement un moyen de vous procurer l'argent pour le payer (peut-être même que l'univers fera en sorte que vous ou votre conjoint trouve un second emploi pour boucler le budget). D'ailleurs, vous le voulez, ce canapé. C'est tout ce qui importe en fin de compte. Laissez-vous aller. Sentez-vous libre! Faites ce que vous pouvez pour obtenir tout ce que vous voulez. Vos désirs sont souverains et vous les méritez bien! N'est-ce pas?

FANTASME ET MANIPULATION 201

Vous avez l'œil sur cette nouvelle voiture. Vous ne savez pas exactement comment vous pourrez vous la permettre, mais elle monopolise vos pensées, ce qui stimule en vous la loi de l'attraction. Avec passion, vous pensez haut et fort à cette nouvelle auto. «Ça s'en vient», vous dites-vous: vous l'avez demandée, vous y avez cru, alors c'est maintenant le temps de la cueillir comme un fruit mûr. Vous imaginez que vous conduisez ce bolide même quand vous êtes au volant de votre vieux tacot; vous avez affiché une photo du véhicule sur le tableau de bord de votre «minoune», ainsi qu'une autre sur le miroir de votre salle de bain. Vous imaginez les sentiments, les odeurs et la joie qui vous envahiront quand vous aurez enfin cette nouvelle voiture.

C'est alors qu'une idée vous frappe de plein fouet: «Je pourrais peut-être vendre ma voiture à un de mes amis, qui me donnerait plus d'argent que ce qu'elle vaut. Je peux lui en parler en termes élogieux, faire en sorte qu'il se sente excité à l'idée de l'avoir, et alors il me donnerait assez pour que je fasse le premier paiement sur un prêt pour ma nouvelle auto.»

Quelle idée miraculeuse! Et c'est l'univers qui l'a mise dans votre esprit! Comment cela pourrait-il manquer d'éthique? Vous faites en sorte d'obtenir ce que VOUS voulez. Si quelqu'un se fait avoir, c'est seulement parce qu'il ne connaît pas encore *Le Secret*, et c'est bien tant pis pour lui. Après tout, il est accessible à tous, en librairie comme sur Internet.

PAS DE RISQUE À PRENDRE

Qu'on veuille l'admettre ou non, lorsque des hédonistes utilisent la loi de l'attraction de cette façon, cela engendre sournoisement de l'apathie sociale, de l'avidité matérielle et une déresponsabilisation à l'égard des victimes. La seule façon de s'assurer que nous ne l'utilisons pas pour masquer notre égoïsme et notre avidité, c'est de demeurer méfiant à l'égard de nous-mêmes. Nous devons nous rappeler que nous, les humains, avons une tendance à nous tromper nous-mêmes. La fierté humaine fait en sorte que peu de gens sont conscients de leurs faiblesses et du fait que nous avons besoin d'un Sauveur. Nous croyons qu'il faut à tout prix entretenir de bons sentiments à notre égard. Le péché mortel d'une culture hédoniste est, en ce sens, une estime de soi négative.

Et si nous n'étions pas censés nous sentir bien à propos de nous-mêmes? Qu'est-ce que ce serait si nous étions réellement méchants? Si nous étions un peuple en perdition? Peut-être sommes-nous après tout notre pire ennemi. Dès lors, notre problème ne serait pas lié à une mauvaise estime de nous-mêmes; nous serions simplement des êtres négatifs.

«Les plus pessimistes à l'égard de l'homme sont les plus optimistes à propos de Dieu»[5], écrit Paul Tournier. Ainsi, c'est seulement lorsque nous restons attachés à Dieu que le prétendu Secret n'en est pas un sombre.

9

UN RÉCIT,
DEUX HISTOIRES

Imaginez que vous croisez un homme en train de donner une conférence en plein air... en 1863. Si vous étiez un Martien, vous en viendriez probablement à croire que les humains aiment à l'occasion se tenir debout sur des boîtes pour émettre des sons. Vous n'accorderiez certes pas beaucoup d'importance à ce fait divers. Si vous étiez un enfant près de la scène, vous espéreriez que le discours soit bref, les mots d'adultes n'étant pas toujours très stimulants à entendre, et encore moins à comprendre. Toutefois, si vous étiez un historien venu du futur, assister au discours d'Abraham Lincoln à Gettysburg, en Pennsylvanie, aurait une signification spéciale pour vous.

Ce que je veux vous faire comprendre, c'est qu'il existe différents points de vue (selon l'endroit et l'époque d'où l'on vient) qui influencent notre interprétation des événements, notre façon d'aborder la vie et, au bout du compte, nos réactions. Votre appréciation de ce qui se passe autour de vous façonne votre vie. Ça aura aussi un impact sur votre façon d'aborder et d'essayer d'utiliser la loi de l'attraction.

Alors, que se passe-t-il dans le monde? Dieu contrôle-t-il quelque chose? Les humains sont-ils les maîtres de leur destinée? Dieu et les humains travaillent-ils de concert? Préfèrent-ils au contraire voir à leurs affaires chacun de leur côté? Quelle est votre opinion? Que pensez-vous qu'il se passe derrière les événements qui se produisent dans le monde?

UNE CULTURE INFLUENCÉE PAR LE SEIGNEUR DES ANNEAUX

Le seigneur des anneaux, la saga de la terre du Milieu imaginée par J. R. R. Tolkien, présente un monde fantaisiste où grouillent toutes sortes de créatures, dont les humains, les hobbits, les elfes, les nains, les orcs et les trolls. Toutes possèdent une histoire bien à elles; elles ont leurs croyances, leur credo, leur culture, leur code d'éthique et leurs légendes. Les manières d'interpréter la réalité diffèrent d'un groupe à l'autre. Leurs histoires sont diverses, et elles façonnent leurs vies. Philosophiquement, les Occidentaux sont aussi divergents dans leurs croyances et leurs interprétations des événements quotidiens que le sont les créatures de la terre du Milieu de Tolkien.

L'apôtre Paul avait tiré la sonnette d'alarme à ce sujet. Il a dit que, dans un monde où les histoires et les interprétations s'opposent, les gens qui ont des points de vue différents des autres vont toujours tenter de faire en sorte, en forçant la note s'il le faut, que ces derniers finissent par être d'accord avec eux. Chaque version affirme certaines choses à propos de Dieu (ou des dieux), du rôle de la race humaine et de l'avenir. Paul a mis l'Église au défi: «Ne vous conformez pas au siècle présent.»[1] Les Écritures, dit-il, nous racontent l'histoire du point de vue de Dieu. Si nous écoutons et adoptons cette histoire, nos vies seront transformées[2].

Jetons un regard sur deux histoires prédominantes dans la culture occidentale. L'une traite de la foi en Dieu, et l'autre, de la foi en l'humanité.

LA VERSION BRÈVE

Au risque de paraître simpliste, voici une version raccourcie de la Bible: la réalité telle que nous la connaissons est le résultat du travail de Dieu, qui a créé tout ce que vous voyez. Dieu n'est pas non plus limité par ce qu'il a fait: il vit à la fois dans sa Création (principe d'immanence) et à l'extérieur de sa Création (principe de transcendance). Il a créé le monde parce qu'il voulait en faire partie, parce qu'il voulait se fondre en lui. Pour y arriver, il a créé une race en mesure de devenir le miroir de sa sagesse et de son attention. Et il a créé cette race afin qu'elle soit différente de tout autre élément de la Création, pour qu'elle soit porteuse de quelque chose d'unique. «L'Éternel Dieu forma l'homme de la poussière de la terre, il souffla dans ses narines un souffle de vie et l'homme devint un être vivant.»[3] Ce souffle fut son impulsion au cœur de sa Création. Il voulait ainsi que sa gloire soit présente dans ce monde à travers l'expérience humaine.

Toutefois, par une tragique ironie, les êtres que Dieu a créés afin de garder un accès dans le monde se sont rebellés: nous avons perdu notre voie. Nous avons aussi perdu l'accès à son souffle, à sa présence. Nous sommes morts spirituellement, et la Création s'est aliénée de son Créateur[4]. La bonne nouvelle, c'est que Dieu n'est pas seulement un Créateur; il est aussi le Rédempteur et le Régénérateur. Ainsi, il a résolu le problème d'une façon tout à fait appropriée, en trouvant une manière de se reconnecter avec la race humaine et de réitérer son intention originale. Jésus est venu sur cette planète (il est entré à l'intérieur de la Création) pour prendre en charge notre mort spirituelle, puis il a trouvé un moyen pour nous insuffler un nouveau souffle de vie afin que, en un certain sens, nous puissions renaître[5]. À travers Jésus qui venait à nous, Dieu a reconquis sa créature humaine[6], comme il le fera éventuellement avec toute sa Création (à la fin de la Bible, il est écrit que Dieu viendra vivre sur la Terre un jour), la transformant exactement selon le plan qu'il avait au départ.[7]

Quelle belle histoire!

UNE GESTION ADÉQUATE

Je ne crois pas que le fait de croire en Dieu fasse de nous de simples marionnettes. Je ne crois pas non plus que Dieu soit intéressé à nous dicter qui prendre pour époux, quoi faire comme travail et quoi cuisiner pour le dîner. Il ne souhaite pas gérer nos moindres tâches. Je crois que Dieu ressemble un peu à un parent. Mon épouse et moi avons quatre enfants (tous adultes maintenant). Nous avons voulu certaines choses pour eux: nous avons souhaité qu'ils soient heureux, responsables et participatifs. Nous les avons pressés de découvrir et d'exploiter leurs talents et d'investir leurs champs d'intérêt. Nous avons voulu qu'ils trouvent des conjoints qu'ils aimeraient et avec qui ils se plairaient. Nous avions une réserve pleine de choses spécifiques que nous souhaitions pour nos petits — des choses spécifiques mais juste assez générales pour ne pas devenir des parents autoritaires ou répressifs. Nous ne voulions certes pas diriger leurs vies.

Je crois que cela reflète bien l'approche de Dieu envers nous. Il a un souhait spécifique pour chacun de nous. Il veut que nous soyons heureux[8], que nous respections la morale et l'éthique[9], que nous pardonnions nos péchés[10], que nous puissions évacuer toute forme de condamnation[11], que nous ayons des vies longues et satisfaisantes[12], que nous portions «beaucoup de fruits»[13], que nous ayons un impact sur le monde[14], que nous ne nous laissions pas dominer par des dépendances et des comportements destructeurs[15], que nous ressentions de la plénitude[16], et ainsi de suite.

Voilà des choses spécifiques que Dieu nous souhaite, des choses spécifiques mais assez générales pour ne pas tomber dans l'oppression. Certes, Dieu ne veut pas vivre notre vie à notre place.

LE PRINCIPE DE BOUCLES D'OR

C'est étrange quand on y pense mais, en tant que croyants, nous vivons notre vie entière en aimant et en servant une personne que nous ne voyons jamais. C'est ainsi que la foi fonctionne. Dieu est invisible et, pourtant, nous avons des indices de sa présence autour de nous. Le génie des mathématiques Blaise Pascal, qui a vécu au XVIIe siècle, a écrit: «Il n'était pas juste [que Dieu] parût d'une manière manifestement divine et absolument capable de convaincre tous les hommes; mais il n'était pas juste aussi qu'il vînt d'une manière si cachée, qu'il ne pût être reconnu de ceux qui le cherchaient sincèrement. [...] Il y a assez de lumière pour ceux qui ne désirent que voir, et assez d'obscurité pour ceux qui ont une disposition contraire.»[17]

Je crois que Dieu se promène autour de nous d'une façon qui ressemble à celle de Boucles d'or dans le conte *Boucles d'or et les trois ours*. Laissez-moi vous expliquer. Dans cette histoire, le papa, la maman et le bébé ours reviennent à la maison un jour et découvrent que quelqu'un a mangé leur repas, s'est assis dans leurs chaises et s'est couché dans leurs lits. Ce n'est pas avant la fin du récit qu'ils découvrent Boucles d'or.

Je crois que Dieu, à la manière de Boucles d'or, est actif dans nos vies avant même que nous nous en rendions compte. Il s'immisce dans nos repas (en un certain sens, il nous touche l'esprit), il s'assoit dans nos chaises (il est celui qui nous permet de pleurer ou de rire), il s'étend dans nos lits (il nous façonne de telle manière que nous trouvons certaines choses satisfaisantes et d'autres pas). Bien que ce soit lui qui fasse ces choses, bien que nous puissions sentir les résultats de son intervention, nous ne le verrons pas avant la fin de l'histoire. «Quand nous serons tous au paradis, quel jour de réjouissances ce sera!»[18]

LIBRE D'ÊTRE

N'ayez crainte: vous soumettre à Dieu ne signifie pas que vous ne pourrez plus accomplir de choses spécifiques, comme épouser une personne en particulier ou vous lancer dans une carrière bien définie. Aussi longtemps que vous vous laisserez guider par l'amour de Dieu, vous aurez la liberté de faire les choses qui vous apportent de la joie, de l'amour, du bonheur et des rires. Dieu avait l'intention de faire de la vie une aventure. Il voulait que ça nous plaise.

Découvrez ces choses qui vous apportent du bonheur; ce sont ces choses qui deviendront le carburant de votre succès. Trouvez ce qui vous fait du bien, ce qui résonne dans votre cœur, et vous vous retrouverez au cœur du projet divin. À moins qu'il ne vous fasse savoir clairement qu'il veut autre chose de votre part (il vous demandera peut-être de participer à un projet spécial), vous pourrez vivre dans la joie de savoir que vous faites partie intégrante de sa volonté.

PLANS ET AVERTISSEMENTS

Avoir le choix nous procure un grand sens de la liberté, mais l'apôtre Jacques a réprimandé bien des gens pour leur rappeler de rester humbles devant Dieu lorsque vient le temps de planifier quelque chose. «Sachez que l'Éternel est Dieu! C'est lui qui nous a faits, et nous lui appartenons; Nous sommes son peuple, et le troupeau de son pâturage.»[19]

C'est ainsi que Jacques lança son avertissement: «À vous, maintenant, qui dites: Aujourd'hui ou demain nous irons dans telle ville, nous y passerons une année, nous trafiquerons, et nous gagnerons! Vous qui ne savez pas ce qui arrivera demain! car, qu'est-ce que votre vie? Vous êtes une vapeur qui paraît pour un peu de temps, et qui ensuite disparaît. Vous devriez dire, au contraire: Si Dieu le veut, nous vivrons, et nous ferons ceci ou cela.»[20]

L'anxiété ne sert à rien quand il faut planifier sa vie. Nous pouvons penser et rêver, puis faire appel à la loi de l'attraction afin de nous créer un avenir bien à nous. Toutefois, Dieu gardera toujours un droit de veto sur nos plans. Pourquoi? Parce qu'il connaît l'avenir et qu'il nous lancera parfois des avertissements si nous faisons de mauvais choix.

Salomon faisait écho à cette idée: «Confie-toi en l'Éternel de tout ton cœur; Et ne t'appuie pas sur ta sagesse; Reconnais-le dans toutes tes voies, et il aplanira tes sentiers.»[21] Notez que les demandes spécifiques de Dieu à votre égard ne sont pas restrictives. Soyez libre mais, au fil de votre parcours, envisagez la voie de Dieu. C'est bien que vous fassiez vos propres choix dans la vie, mais assurez-vous de remercier Dieu au passage et de lui obéir s'il vous refuse quelque chose ou s'il semble vouloir vous emmener dans une autre direction.

DIEU N'EST PAS GRAND-PAPA

La vie devrait être plaisante. Telle est la volonté de Dieu. Pourtant, c'est vrai, il y a des moments où Dieu ne nous rend pas la vie facile. Si nous lui faisons confiance, ce n'est pas un problème. Sinon, attention à l'escalade d'ennuis.

Dieu nous a demandé de discipliner nos enfants, mais il exige aussi de la discipline de notre part, parce qu'il nous aime. Ainsi, si nous ne voyons pas à maintenir de la rigueur auprès de nos enfants, c'est que nous les haïssons[22]. Ne croyez pas que Dieu souhaite seulement que nous soyons heureux. Ne le confondez pas avec un grand-papa. Un grand-père cherche à éviter les problèmes et les affrontements. À la fin de la journée, il souhaite que tous aient vécu un bon moment. Jésus ne nous a pas demandé de prier «notre grand-père qui est aux cieux» mais bien «Notre Père qui est aux cieux»[23].

Les Écritures sont claires là-dessus. Dieu est notre Père, et celui-ci «nous châtie pour notre bien, afin que nous participions à sa sainteté»[24]. Dieu nous aime, ce qui ne veut pas dire qu'il se limite à sourire et à distribuer dans nos esprits des influx de joie. Lorsque nous agissons avec égoïsme, manquons d'éthique ou commettons des péchés, il devient sévère et nous traite d'une manière pénible[25]. Il agit ainsi parce que nous sommes ses fils et ses filles. Nous sommes les élus, ceux qu'il a choisis. Il croit en nous, a confiance en nous et nous demande de le représenter sur Terre. Vous et moi avons de l'importance. La Bible applaudit l'homme qui a «en son temps servi au dessein de Dieu»[26]. C'est ce qu'il attend de nous. C'est pourquoi il nous a placés sur cette Terre.

Si nous refusons son plan, il se retirera. Voilà qui est plutôt effrayant. «Mon peuple n'a point écouté ma voix, Israël ne m'a point obéi. Alors je les ai livrés aux penchants de leur cœur, Et ils ont suivi leurs propres conseils.»[27]

Je n'aimerais pas être abandonné à mes propres conseils. Et vous?

LES PROPHÈTES ARRIVENT

En raison de son engagement de Père, Dieu nous parle et ses paroles nous laissent parfois mal à l'aise. En Israël, il a dit à son peuple: «Je vous ai envoyé tous mes serviteurs, les prophètes; Je les ai envoyés chaque jour, dès le matin.»[28]

Dieu a toujours envoyé des prophètes. Parfois, ce sont des membres du clergé ou des amis qui nous rappellent d'accorder plus de place à la prière et à la spiritualité dans nos vies. D'autres fois, ce sont des émissions et des organisations qui nous pressent de porter attention à des questions de justice sociale dans notre communauté. Les prophètes paient souvent des publicités afin de nous avertir des dangers que représentent la cigarette ou la conduite avec les facultés affaiblies. Les prophètes sont des parents qui encouragent leurs enfants à agir de façon responsable. Ce sont aussi ceux qui nous confrontent avec le fait qu'économiser de l'argent n'est pas une raison pour faire de fausses déclarations de revenus, ni pour faire des copies illégales de chansons ou de logiciels informatiques. Les prophètes sont partout. Et même s'il est parfois agaçant de le faire, nous devons écouter ce qu'ils ont à nous dire.

UNE AUTRE VERSION

L'autre culte dominant dans notre culture diffère largement de l'histoire de la Bible. Dans cette histoire, il n'y a pas de Dieu Créateur, pas de prophètes, pas de Jugement et certainement pas de plan divin en ce qui nous concerne.

L'univers est le produit du pur hasard, un coup de dés. Dans cette histoire, les choses qui existent sont là depuis toujours; il n'y a pas eu d'événement créateur. La matière existe, et tout est fait de matière. L'astrophysicien Carl Sagan, sur un ton liturgique moqueur, raconte bien cette histoire: «Le cosmos est constitué de tout ce qui est, de tout ce qui a été et de tout ce qui sera.»[29]

Les gens qui adhèrent à cette idée croient que l'univers n'est qu'un circuit fermé, à l'image des conduites d'eau dans une maison. L'univers n'est donc pas ouvert à une réorganisation dirigée par un être extérieur tel que Dieu. Il n'y a pas de miracles. S'il existe un dieu, il ou elle n'a aucun rapport avec ce qui se passe ici-bas. L'histoire s'est produite sans raison; cette succession linéaire d'événements ayant un rapport de cause à effet est arrivée, tout simplement.

Qui sommes-nous? Personne en particulier. Nous ne sommes pas des êtres spéciaux ou choisis. Nous sommes ici parce que notre numéro a été tiré, comme si nous avions gagné à Las Vegas. Il n'existe rien d'une supposée destinée. Personne ne nous surveille ou n'a de plan pour nous. Les êtres humains ne sont que des machines complexes qui ont des personnalités en raison d'interactions chimiques et physiques que nous ne comprenons pas totalement. Le mystère de la vie n'est pas authentique; il relève plutôt de la complexité mécanique.

La mort, de ce point de vue, n'est pas le passage d'une forme de vie à une autre; c'est simplement l'extinction de la personnalité et de l'individualité. Selon le populaire philosophe du XXe siècle Ernest Nagel, la «destinée humaine est un épisode entre deux oublis»[30].

Voilà qui est assez sombre. Croire que l'univers est dû au hasard donne corps à ce genre de réponse. Par exemple, l'éthique (notre sens moral de ce qui est bien ou mal) devient alors une chose purement humaine. Ainsi, tout est en place pour que les apôtres de l'absurdité puissent convaincre n'importe qui de n'importe quoi, toutes les idées et credo étant également valables.

MONSIEUR UNIVERS

Sans Créateur, l'univers est considéré comme une grande horloge réglée au quart de tour et pourvue de mécanismes, de leviers et d'engrenages précis. Cette horloge fonctionne bien sûr d'elle-même. Dieu ne fait pas partie de cet univers; il n'est pas réellement une entité définie et n'a certainement pas de plan divin pour nous.

Si vous adhérez à cette conception de l'univers, il y a de fortes chances pour que votre vie soit caractérisée par un certain nombrilisme. Après tout, aucun dieu ne vous juge. Vous devez vous débrouiller tout seul. Encore une fois, le miracle n'existe pas dans cette histoire. Les humains ne sont pas déchus. Nous sommes seulement une partie de la mécanique, et c'est à nous de rester synchronisés avec les autres engrenages et les autres leviers de ce monde (ce que prône des livres comme *Le Secret*). Il n'y a pas de péché ou de honte, aucune grâce accompagnant la présence de Dieu et aucun Jugement dernier. C'est la fête! Chaque humain doit apprendre à tirer le meilleur parti de toute chose, à suivre le courant et à éviter de tomber dans les griffes (les engrenages) de la vie.

Quand des gens qui croient en ce concept de l'univers s'emparent d'idées comme celles du *Secret*, ils vous en font voir de toutes les couleurs avec leurs phrases toutes faites:

- L'Univers au sens large est comme un génie (remarquez que la majuscule au mot «Univers» permet de remplacer le concept de Dieu).
- L'Univers attend que vous lui disiez ce qu'il doit faire: «Vos désirs sont des ordres», vous dit-il.
- L'Univers est votre ange gardien, votre conscience supérieure.
- Passez vos commandes à l'Univers, faites-lui savoir ce que vous voulez.
- L'Univers répond à vos pensées.
- Les humains apprennent de mieux en mieux à utiliser leur esprit. Un jour, nous serons capables d'aller n'importe où, de faire n'im-

porte quoi et de tout réussir. Il n'y aura plus aucune limite à ce que nous pourrons faire.

- L'Univers est votre catalogue. Feuilletez-le et dites: «J'aimerais avoir ce produit, vivre cette expérience, connaître cette personne.» C'est aussi simple que cela...

- L'Univers se réorganisera de lui-même afin de faire en sorte que vos vœux se réalisent.

- Vous pouvez avoir ce que vous choisissez. Rien n'est trop beau ou trop gros pour l'Univers. Il n'y a aucun jugement, pas de bien ni de mal.

- L'Univers vous servira sur un plateau d'argent toutes les petites choses que vous avez demandées.

C'est extraordinaire! Voilà qui est fort différent de ce que Dieu nous a enseigné. Pourtant, accepter de tels mensonges influence votre vie de façon significative. Ces croyances vous forcent à considérer l'univers comme quelque chose de mécanique, de froid et d'inutile. La prière n'y exerce aucun pouvoir, comme l'écrivait si bien le poète Steven Crane, au XIXe siècle:

Un homme dit à l'univers:
    «Sieur, j'existe.»

«Cependant, répliqua l'univers, ce fait n'a pas créé en moi d'obligation particulière.»[31]

UN CHOIX IMPORTANT

Que vous croyiez en l'un ou l'autre des concepts de l'univers, ce que vous tenez pour la vérité aura un impact sur votre vie, sur votre façon de répondre aux événements. Si votre idée est liée au concept du monde créé par un coup du sort, votre vie risque d'être une course où le chacun pour soi domine. La version biblique implique que chaque personne compte. Elle signifie aussi que ce que vous et moi faisons a de l'importance, parce que nous faisons alors partie de quelque chose de plus grand que nous-mêmes, de l'histoire que Dieu lui-même est en train de raconter. C'est une histoire dans laquelle nous sommes des êtres prédestinés et dans laquelle notre rôle principal consiste à aménager un monde que Dieu viendra habiter.

À mon humble avis, c'est là la meilleure des deux histoires.

10

LE VÉRITABLE «SECRET»

La première fois que j'ai vu l'adaptation du *Secret* de Rhonda Byrne sur DVD, je ne savais pas trop quoi en penser. J'étais déçu, puis encouragé; encouragé puis déçu. Déçu à cause de l'absence de connexion significative avec Dieu ou les enseignements du Christ; encouragé parce que le désir d'une vie meilleure est une preuve que les gens voient bien plus loin que le bout de leur nez. Et je crois que s'ils continuent de chercher Dieu, ils finiront par le rencontrer.

L'apôtre Paul raconte d'ailleurs une histoire assez provocante qui illustre bien le genre d'ambivalence qui me hante ici. La scène s'est produite quand il a visité la cité païenne d'Athènes. Le Christ n'y a jamais prêché. «[Paul] sentait au-dedans de lui son esprit s'irriter à la vue de cette ville pleine d'idoles.»[1] Alors qu'il avançait dans la ville, il trouva quelque chose qui l'encouragea au sujet de la situation athénienne: il y avait des marques évidentes que le Royaume de Dieu était en marche au cœur de la cité. La preuve, c'était que Paul trouvait les gens «à tous égards extrêmement religieux»[2]. Il pointa un autel où était érigée la statue d'un «dieu inconnu» et déclara: «Ce que vous révérez sans le connaître, c'est ce que je vous annonce.»[3]

Il dit alors aux Athéniens que Dieu avait toujours été avec eux, qu'il avait même «déterminé la durée des temps et les bornes de leur demeure»[4]. (Pensez-y: Dieu avait prévu que ces gens habiteraient Athènes, même s'il ne s'agissait pas d'une ville chrétienne.) Paul affirma que Dieu agissait ainsi afin que les gens «cherchassent le Seigneur» et «s'efforçassent de le trouver», parce qu'il n'était «pas loin de chacun de nous»[5]. Il a même soutenu que tous les êtres humains étaient enveloppés de soins divins, qu'en lui «nous avions la vie, le mouvement, et l'être»[6].

À mon sens, cette histoire est bouleversante: Dieu était présent dans cette cité païenne avant que Paul n'y apporte les évangiles de Jésus-Christ! L'œuvre de Dieu demeurait toutefois incomplète. Les évangiles, ou la bonne nouvelle, étaient nécessaires pour déployer le rêve de Dieu envers l'humanité et pour obtenir de plus amples instructions et des explications sur la route à emprunter. Pour Paul, il ne faisait aucun doute que Dieu travaille dans la vie de toute personne, de toute nation et à tout moment, qu'on croie en lui ou non. Or, bien des gens ne le connaissent tout simplement pas, ce qui explique qu'ils érigent des statues à l'effigie de choses qu'ils ne comprennent pas.

C'est ce qui explique, à mon sens, la popularité du *Secret*. Les gens accourent vers cette information parce qu'ils sont à la recherche d'espoir et de changement, parce qu'ils cherchent une nouvelle façon de vivre qui ne soit pas restreinte ou oppressive. Sans qu'ils s'en rendent compte, ils sont à la recherche de Jésus afin de devenir de «nouvelles créatures»[7].

IL N'Y A PAS D'EAU ICI

Les Écritures disent que Dieu «a mis dans le cœur [des hommes] la pensée de l'éternité»[8]. Grossièrement résumé, Dieu a mis dans nos cœurs un espace que lui seul peut habiter. Essayer de remplir ce vide avec quelque chose d'autre (des rêves, des objectifs, des biens, des accomplissements, des applaudissements, de la beauté, du succès) ne fera qu'exacerber ce sentiment de manque, en fin de compte (demandez-le à toutes les Britney Spears de ce monde).

«Ô Dieu! tu es mon Dieu, je te cherche; Mon âme a soif de toi, mon corps soupire après toi, Dans une terre aride, desséchée, sans eau.»[9] Ce psaume rappelle qu'il n'y a rien sur cette planète qui puisse étancher la soif de Dieu de l'âme humaine. «La foule des hommes mène une vie de morne désespoir»[10], écrivit Henry David Thoreau à ce sujet. Le seul remède à cette soif se trouve en la personne de Jésus-Christ, et non pas en utilisant la loi de l'attraction pour avoir la santé, la richesse et le succès.

Jésus dit à la femme qui puisait de l'eau: «Si tu connaissais le don de Dieu, qui est celui qui te dit: "Donne-moi à boire!", tu lui aurais toi-même demandé à boire, et il t'aurait donné de l'eau vive.»[11] Puis, il ajouta: «Quiconque boit de cette eau aura encore soif; mais celui qui boira de l'eau que je lui donnerai n'aura jamais soif, et l'eau que je lui donnerai deviendra en lui une source d'eau qui jaillira jusque dans la vie éternelle.»[12]

Les gens ont soif. Le récent engouement pour *Le Secret* et les autres livres du genre en est la preuve concrète. Mais boire l'eau de la Terre n'apaise pas cette soif. Jésus est le seul à pouvoir le faire.

AFFRONTER LA CULPABILITÉ

C'est une bien mauvaise nouvelle: les humains vivent en perdition. Nous sommes en faillite. Nous avons besoin d'une aide extérieure. Depuis la tragique chute racontée dans la Genèse, toute personne qui vient au monde naît perdante. L'apôtre Paul écrit, à propos de la race humaine: «Il n'y a point de juste, pas même un seul»[13], et «tous ont péché et sont privés de la gloire de Dieu»[14]. Chacun de nous est profondément défiguré par le péché. «Regardez-vous et, à long terme, vous ne trouverez que de la haine, de la solitude, du désespoir, de la colère, des ruines et de la décadence.»[15] Ce n'est pas très beau à voir, n'est-ce pas?

La bonne nouvelle, c'est que Dieu va au-delà de ce qui est mauvais en nous et nous accorde toujours de la valeur. Les Écritures disent qu'il a agi ainsi «lorsque nous étions encore des pécheurs»[16]. Par malheur, la psychologie moderne nie ce concept de méchanceté humaine à cause de l'extraordinaire charge de culpabilité qu'elle apporte dans nos vies. Afin d'atténuer ce sentiment, les psys ont dit aux gens que le bien et le mal n'existaient pas, ni le péché d'ailleurs. Le bien et le mal ne peuvent être définis que sur une base individuelle. Les psys parlent de «confusion» afin que leurs patients se concentrent sur leurs traits positifs et qu'ils acceptent le mal en eux. Ils racolent leurs clients avec des platitudes afin de banaliser l'intensité de la culpabilité qu'ils ressentent.

Ce que la psychologie moderne oublie, c'est que la culpabilité, comme la douleur physique, est un cadeau de Dieu. Pouvez-vous imaginer ce que ce serait si vous ne ressentiez pas la douleur? Vous pourriez alors vous couper avec un couteau et vous vider de votre sang! La douleur nous protège en effet en nous lançant des avertissements. La capacité de ressentir de la culpabilité nous a été donnée pour la même raison.

Paul nous a dit que la loi de Dieu nous avait été donnée de façon «que tout le monde soit reconnu coupable devant Dieu»[17]: «Ainsi la loi a été comme un pédagogue pour nous conduire à Christ.»[18] Dieu n'a jamais voulu que la culpabilité reste sans réponse, et cette réponse se trouve dans le sang de Jésus. Il a voulu que la culpabilité nous motive à venir à lui, et non qu'elle soit une fin en elle-même.

LE SECRET DERRIÈRE LE SECRET

Bien que nous devions tout faire en notre pouvoir pour faire entendre la parole de Jésus, les Écritures sont claires à l'effet que Satan cherche à brouiller les pistes menant à la compréhension des Évangiles. Comme l'a dit Paul: «Si notre Évangile est encore voilé, il est voilé pour ceux qui périssent; pour les incrédules dont le dieu de ce siècle a aveuglé l'intelligence, afin qu'ils ne vissent pas briller la splendeur de l'Évangile de la gloire de Christ, qui est l'image de Dieu.»[19]

Le Nouveau Testament affirme également qu'un grand secret se cache dans les Évangiles. «Le mystère caché de tout temps et dans tous les âges, mais révélé maintenant à ses saints, à qui Dieu a voulu faire connaître quelle est la glorieuse richesse de ce mystère parmi les païens, à savoir: Christ en vous, l'espérance de la gloire. C'est lui que nous annonçons, exhortant tout homme, et instruisant tout homme en toute sagesse, afin de présenter à Dieu tout homme, devenu parfait en Christ.»[20] Voilà son secret: le Christ vit en vous.

Il se trouve que le secret derrière le Secret réside en le Christ lui-même, pas dans la loi de l'attraction. Voilà pourquoi Satan tente de brouiller les pistes. Sans Jésus-Christ, il n'y a pas de véritable paix, car il est le Prince de la paix[21]. Sans le Christ, la victoire sur le péché et la tristesse est impossible, car c'est lui «qui nous donne la victoire»[22]. Sans Jésus-Christ, il n'y a pas de plénitude[23], pas de véritable vie: «Celui qui a le Fils a la vie.»[24]

Comme croyants, nous pouvons utiliser la loi de l'attraction (et toute autre loi qui nous permettrait d'être plus efficaces), mais ce n'est pas dans ces lois que se trouve notre bonheur. Celui-ci réside plutôt en Jésus-Christ. Un jour, racontant les péchés d'Israël au prophète Jérémie, Dieu a dit: «Car mon peuple a commis un double péché: Ils m'ont abandonné, moi qui suis une source d'eau vive pour se creuser des citernes, des citernes crevassées qui ne retiennent pas l'eau.»[25]

Les gens continuent d'agir ainsi aujourd'hui. Ils oublient (ou ne savent pas) que Jésus, source d'eau vive, est le seul à pouvoir étancher la soif. Ils tentent alors de creuser des puits pour eux-mêmes, pour étancher leur propre soif, qu'il s'agisse d'une quête de succès, de célébrité ou d'argent. Il leur arrive même de chercher refuge dans des choses plus sombres, comme la drogue, l'alcool ou les comportements sexuels illicites. En voilà, des puits «qui ne retiennent pas l'eau».

Il y a quelques années, Nancy Arndt, une amie commune à ma femme, Gail, et à moi, a écrit un texte traitant de cette source d'eau vive et de ce vide en chaque personne que nous tentons souvent de remplir avec toutes sortes de choses:

> *Il est la Sécurité que vous cherchez dans l'argent*
> *Il est l'Effet que vous cherchez dans l'alcool*
> *Il est l'Extase que vous cherchez dans le sexe*
> *Il est la Santé que vous cherchez auprès du médecin*
> *Il est la Chanson que vous cherchez en musique*
> *Il est la Danse que vous cherchez dans les boîtes de nuit*

*Il est la Beauté que vous cherchez dans vos
voyages
Il est la Sagesse que vous cherchez dans les livres
Il est la Paix que vous cherchez dans les soucis
C'est Jésus que vous cherchez...*[26]

La seule chose qui compte dans tout cela, c'est qu'il
y a plus encore à propos du Secret: il y a Jésus. Si
vous ne l'avez pas accueilli en vous encore, appelez-
le et il viendra vous rejoindre où que vous soyez.
Faites-le dès maintenant. Pour vous aider, voici une
prière toute simple que vous pouvez réciter:

*Jésus, quelque chose en moi me pousse à te dire oui. Je
veux le faire. La Bible dit que si je déclare que tu es
responsable de ma vie — en tant que Seigneur de ma
vie —, je recevrai de l'aide du Paradis et je serai
«sauvé»[27]. Je suis ouvert à cela. Jésus, sois mon Seigneur, ici, maintenant, peu importent les circonstances. Sois mon Seigneur. Pardonne-moi mes péchés.
Purifie-moi de mes occupations qui sont mauvaises. Je
m'en remets à toi et je t'accueille dans ma vie. Je suis à
toi!*

Si vous récitez cette prière avec tout votre cœur, je
vous souhaite un bon voyage dans l'univers de la

foi. Acceptez de devenir un fidèle dévoué à Jésus. Procurez-vous une Bible et commencez à la lire (même si vous n'en comprenez pas grand-chose au début). Trouvez une église où les gens aiment Jésus et apprécient le fait de parler de la Bible (tenez-vous loin cependant de ces croyants excessifs, convaincus qu'ils sont les seuls à avoir trouvé la vérité, qui crient beaucoup et qui sourient peu). Si vous entretenez ce «oui» divin dans votre cœur, Dieu «vous conduira dans toute la vérité»[28].

Par ailleurs, restez tenaces à propos de votre foi. Ne lâchez pas. Il y aura des moments difficiles à passer, car les forces négatives ne se croiseront pas les bras pour vous laisser devenir quelqu'un de bien pour Dieu. Elles combattront cela avec acharnement. Jésus a dit: «Dans ce monde, vous aurez des ennuis.» Mais il a ajouté: «Mais soyez braves! J'ai vaincu le monde!»[29]

«De même, je vous le dis, il y aura plus de joie dans le ciel pour un seul pécheur qui se repent, que pour quatre-vingt-dix-neuf justes qui n'ont pas besoin de repentance.»[30] Alors, si vous récitez la prière pour la première fois, dites-le-moi par courriel (ed@edgungor.com), car j'aimerais beaucoup faire retentir ce cri de bonheur.

NOTES

1. Dieux et génies

1. 1 Corinthiens 3:21-22.
2. Galates 6:7.
3. Luc 6:36-38 NASB.
4. Actes 17:26.
5. Psaumes 139:16.
6. Psaumes 100:3.
7. Genèse 45:18.
8. Matthieu 10:39.
9. Arnold Toynbee, cité par Joseph Tetlow dans «The Human Person and Sexuality», *The Way Supplement*, 71, 1991, p. 44.
10. Jacques 4:14.
11. Jacques 4:15.
12. Marc 9:23.

2. Les pensées se matérialisent

1. Proverbes 23:7.
2. *The Secret*, DVD de Rhonda Byrne, TS Production, LLC, 2006.

3. *Ibid.*
4. 2 Corinthiens 4:4 NLT.
5. Voir Éphésiens 6:11-12, Actes 10:38, Luc 13:16 et Jean 13:27.
6. 2 Pierre 1:4.
7. 2 Corinthiens 10:4-5 NLV.
8. Philippiens 4:8 MSG.
9. Job 3:25.
10. *The Secret*, de Rhonda Byrne, p. X-XI.
11. Genèse 1:31.
12. *Evil and the Justice of God*, de N. T. Wright, Downers Grove, Illinois, IVP Books, 2006, p. 38-39.
13. Apocalypse, Révélation 21.
14. Matthieu 5:44-46 MSG.
15. Actes 14:16-17 MSG.
16. Actes 17:25 NLT.
17. Marc 9:23.
18. Marc 11:24.

3. Utiliser la loi de l'attraction

1. *The Secret*, de Rhonda Byrne, p. 25.
2. Apocalypse, Révélation 5:8.
3. 2 Corinthiens 2:15-16.
4. *The Prophets: The Babylonian and Persian Periods*, de Klaus Koch, Philadelphie, Fortress Press, 1989, p. 20.
5. Jérémie 4:18 MSG.

6. Lisa Nicols, citée dans *The Secret*, p. 31-32.
7. Marci Shimoff, citée dans *The Secret*, p. 32.
8. Jack Canfield, cité dans *The Secret*, p. 178.
9. Neale Donald Walsch, cité dans *The Secret*.
10. W. Beron Wolfe, cité dans *Light from Many Lamps*, de Lillian Eichler Watson, New York, Simon and Schuster, 1951, p. 84.
11. *Who You Are When No One's Looking: Choosing Consistency, Resisting Compromise*, de Bill Hybels, Downers Grove, Illinois, Intervarsity Press, 1987, p. 70-71.
12. *The Secret*, de Rhonda Byrne, p. 31.
13. *Ibid.*, p. 33.
14. Deutéronome 8:17-18 MSG.

4. J'ai le sentiment que...

1. Luc 12:16-21 MSG.
2. Romains 8:2.
3. 1 Jean 5:19.
4. *The Secret*, de Rhonda Byrne, p. 37.
5. Ephésiens 2:1-3 NLV.
6. Colossiens 1:13 MSG.
7. Bob Proctor, cité dans *The Secret*, p. 37.
8. 2 Corinthiens 10:4 NKJV.
9. Matthieu 11:28-30 MSG.
10. Jérémie 29:11 MSG.
11. 2 Corinthiens 10:4.

12. *Emotionally Healthy Spirituality, Unleash a Revolution in Your Life in Christ*, de Peter Scazzero, Franklin, Integrity Publishers, 2006, p. 24.

13. *Ibid*., p. 26.

14. *Ibid*., p. 53 (adaptation).

15. Romains 5:8.

16. Hébreux 5:14 NASB.

17. Adaptation de *Pain: The Gift Nobody Wants*, de Paul Brand et Phillip Yancey, Darby, Diane Publishing Co., 1999, p. 6-7.

5. Pourquoi les chrétiens sont nerveux à propos de cela

1. *The Food Defect Action Levels*, College Park, MD: U.S. Food and Drug Administration, mai 1995, (révisé en mai 1998), vm.cfsan.fda.gov/~dms/dalbook.html.

2. Voir Matthieu 23:22.

3. Proverbes 23:7.

6. Comment les chrétiens devraient utiliser la loi de l'attraction

1. Matthieu 4:8-9 NKJV.
2. Voir Matthieu 10:38-39.
3. Ecclésiaste 2:10-11.
4. Hébreux 11:13.
5. Hébreux 11:16.
6. Psaumes 17:14.
7. 1 Jean 2:15-17 MSG.
8. Hébreux 11:24-27 MSG.
9. Matthieu 20:28.
10. Philippiens 4:19.
11. Jean-Paul II, cité dans *Living God's Justice: Reflections and Prayers*, Cincinnati, St. Anthony Messenger Press, 2006, p. 11.
12. Genèse 11:6 AMP (Genèse 11:4, ajouté par le traducteur).
13. Genèse 30:37.
14. Genèse 30:39 (Genèse 31:10, ajouté par le traducteur).
15. Actes 2:17.
16. Esaïe 43:18-19.
17. Habacuc 2:14.
18. Matthieu 5:13-14.
19. Marc 11:24.
20. *The Book of Common Prayer*, New York, Oxford University Press, 1990, p. 258.
21. Actes 2:17.

22. Psaumes 2:8.
23. Ephésiens 3:20.
24. Apocalypse, Révélation 21:3-4.
25. Marc 1:15 KJV.
26. Matthieu 6:10 KJV.
27. Hébreux 6:5.
28. *The Book of Common Prayer*, p. 138.
29. Hébreux 6:12.

7. La loi de l'attraction et l'argent

1. Actes 20:35.
2. Genèse 14:23.
3. 1 Rois 3:11-13.
4. Matthieu 6:29.
5. Voir Luc 8:2-3.
6. Jean 13:29.
7. Ephésiens 4:28.
8. *Ibid.*
9. Genèse 2:12.
10. Apocalypse, Révélation 21:21.
11. Genèse 1:31.
12. Genèse 1:28.
13. Exode 16:20.
14. Matthieu 6:31.
15. Matthieu 6:34.
16. «Oil Fallacies», par Morris Adelman, *Foreign Policy* 82, printemps 1991, p. 10.

17. Proverbes 8:12 KJV.
18. Daniel 12:4 KJV.
19. Voir Actes 14:17.
20. «Resources as a Constraint on Growth?», par William Nordhaus, *American Economic Review*, vol. 64, n° 2, mai 1974, p. 25.
21. Matthieu 6:33 NKJV.
22. Voir Actes 14:17.
23. Marc 6:39-44.

8. Un sombre «secret»

1. Voir Matthieu 5:3.
2. Matthieu 10:39 NKJV.
3. Voir Psaumes 19:9; 119:39, 75, 137, 156.
4. Genèse 1:26.
5. *Guilt and Grace*, de Paul Tournier, New York, Harper and Row, 1959, p. 159.

9. Un récit, deux histoires

1. Romains 12:2 NKJV.
2. Ibid.
3. Genèse 2:7.
4. Romains 8:20-21.
5. Voir Jean 3:3.

6. Colossiens 1:27.

7. Apocalyspse, Révélation 21-22.

8. Néhémie 8:10.

9. 1 Pierre 1:15.

10. 1 Jean 1:9.

11. Romains 8:1.

12. Psaumes 91:16.

13. Jean 15:8.

14. Matthieu 5:13-14.

15. Romains 6:1-6.

16. Jean 16:33; Colossiens 2:10.

17. *Pensées*, de Blaise Pascal (Ed Gungor a consulté la version traduite en 1966 par A. J. Krailsheimer et revue en 1995, éditée à Londres par Penguin Books).

18. «When We All Get to Heaven», de Eliza E. Hewitt, dans *Pentecostal Praises*, de William Kirkpatrick et Henry Gilmour, Philadelphie, Hall-Mack Co., 1898.

19. Psaumes 100:3.

20. Jacques 4:13-15 MSG.

21. Proverbes 3:5-6 MSG.

22. Voir Proverbes 13:24.

23. Matthieu 6:9.

24. Hébreux 12:10.

25. v. 11.

26. Actes 13:36.

27. Psaumes 81:11-12.

28. Jérémie 7:25.

29. *Cosmos*, de Carl Sagan, New York, Random House, 1980, p. 4.

30. *Naturalism Reconsidered*, d'Ernest Nagel, p. 490.
31. *War Is Kind and Other Lines*, de Stephen Crane, 1899 (traduction libre).

10. Le véritable «secret»

1. Actes 17:16.
2. Actes 17:22.
3. Actes 17:23 MSG.
4. Actes 17:26.
5. Actes 17:27.
6. Actes 17:28.
7. Voir 2 Corinthiens 5:17.
8. Ecclésiaste 3:11.
9. Psaumes 63:1 NLT.
10. Henry David Thoreau.
11. Jean 4:10.
12. Jean 4:13-14.
13. Romains 3:10 NLT.
14. Romains 3:23 NLT.
15. C. S. Lewis.
16. Romains 5:8 NLT.
17. Romains 3:19, *The New Testament: A New Translation* (Olaf Norlie).
18. Voir Galates 3:24.
19. 2 Corinthiens 4:3-4 NLT.
20. Colossiens 1:26-28 NLT.

21. Esaïe 9:6.
22. 1 Corinthiens 15:57.
23. Voir Colossiens 2:10 KJV.
24. 1 Jean 5:12.
25. Jérémie 2:13 NLV.
26. Nancy Arndt, inédit, Marshfield, Wisconsin, 1983 (traduction libre).
27. Romains 10:9.
28. Jean 16:13.
29. Jean 16:13, ICB.
30. Luc 15:7.

À propos de l'auteur

Ed Gungor se dévoue profondément à la formation spirituelle des gens depuis plus de 35 ans. Connu pour son style terre à terre et ses qualités d'orateur, il est l'auteur de nombreux livres, dont *Religiously Transmitted Diseases: Finding A Cure When Faith Doesn't Feel Right* («Maladies transmissibles religieusement: trouver un remède quand la foi ne suffit plus»). Ed et son épouse, Gail, ont quatre enfants et vivent à Tulsa, en Oklahoma. Ed agit à titre de pasteur à la Peoples Church de Tulsa et il voyage d'un bout à l'autre des États-Unis et à l'étranger pour donner des conférences dans les églises et les universités. Pour plus d'information à propos de Ed Gungor ou pour l'inviter à une conférence, visitez le site www.edgungor.com

Achevé d'imprimer au Canada
en octobre deux mille sept
sur les presses de
Quebecor World St-Romuald